中公文庫

イ モ ー タ ル

萩　耿介

中央公論新社

目次

イモータル

序章

騒々しい。

あちこちでクラクションが響き、すぐ下をバイクが走り抜ける。それに混じって怒鳴り声と物売りらしき男の声。ベッドで横になっていても容赦なく耳に入ってくる。

インド・デリーの朝。

隆《たかし》は建て付けの悪い扉を押し開けて外に出た。

朝だというのにねっとりと暑い。汗で湿ったTシャツが肌にまつわり、息を吸い込むだけで気怠《けだる》くなる。埃《ほこり》の臭いと小便の臭い。泊まっているのは三階の屋上部屋だ。

水色のペンキが塗られた際に寄り、手を突いて通りを見下ろす。メイン・バザールは狭く、ヒンドゥー語と英語の看板がひしめき、その下を垂れた電線が走っている。人力タクシーのリキシャーとエンジン付き三輪のオートリキシャー。そこに立ちはだかる牛と人と荷車。これでは前に進めず、ますますクラクションが鳴り響く。家々の屋根にはテレビのアンテナが並び、バルコニーには洗濯物が干してある。その間から煙が上がっている。ゴミでも燃やしているのか、パンを焼いているのか。

滞在できるのはわずか五日。金曜日の便で帰国しなければならない。小学校に入った息子の太一《たいち》は水疱瘡《みずぼうそう》だし、妻には無理を言って一人で出てきた。九月初めの夏期休暇。会社のほかの連中はとうに夏休みを終えている。

解決しなければならない謎はたくさんある。自分は何者で何に苦しんでいるのか。どうして「智慧《ちえ》の書」に惹《ひ》かれ、救いを感じるのか。そして何よりも十五年以上も前にインドで死んだ兄。インドのどこで、どのようにして。それぞれがばらばらなようでいて実は深いところでつながっているように思える。自分の苦しさは兄の苦しさであり、「智慧の書」の苦しさでもあるからだろう。

「ショーペンハウアー」、「意志と表象としての世界」、「ウパニシャッド」。手がかりを得ようと調べてみたが、どれも難しく、答えを得るには至らなかった。だから自分で考えなければならない。生齧《なまかじ》りの知識ではなく、直感を頼りに。

部屋に戻り、身支度をしてから階段を下りた。傾斜は急で薄暗く、磨《す》り減っていて滑りそうになる。

少し出たところに食堂を見つけた。当然カレー屋だ。注文の仕方がわからず、戸惑っていると、セルフサービスの店とわかり、マトンカレーを頼んで自分で運んだ。パンは薄く、指先に粉が付くほど乾いている。チャパーティーだ。ガイドブックで読んだ。

「うまいだろう。おまけにこの安さだ」

ふわりと兄が現れ、向かいに座ってビリィを吸っている。

「兄さんも食べるかい？」

「俺は済ませた。終わったら出発だ」

「どこへ？」

「決まっているだろう。ベナレスだ」

意欲的だ。来てくれたことが嬉しいのだろう。しかしそれには列車に乗らなければならないし、宿の支払いも済ませなければならない。

「ここに来たらつまらん段取りは捨てることだ」

こちらの動揺を見抜いたように真剣に言う。

「時間は多くないぞ。常に本質であるよう努力しろ」

「本質？」

「そうだ。お前自身がひとつの本質として存在するようにしろということだ」

何となくわかった。アートマンとして自覚しろということかもしれない。ウパニシャッドに出ていた。けれども違うと怒られそうなので黙っている。

「覚悟はできているんだろうな。過酷な旅になるぞ」

「もちろんそのつもりだよ。下痢くらい何でもないさ」

「そんなことじゃない。帰れなくなってもいいのかということだ」

大げさなもの言いに口の動きを止めた。帰国できなくていいはずがない。家庭もあるし、仕事もある。だが、切迫した兄の声にただならぬ気配を感じた。実際に兄は命を落としているのだ。

「わかったよ。何があっても驚かないようにする」

「その意気だ。いいか、これからは何だって起こりうる。もう一度言うぞ。これからは何だって起こりうる。繰り返せ」

　意図がわからず、口ごもる。

「言わないと後悔するぞ。お前のためだ」

「これからは何だって起こりうる」

「声が小さい」

「これからは何だって起こりうる」

　ほかの客がこちらを向いた。独り言は恥ずかしかったが、次第にその気になってくる。

「早く食べろ。先に行って待っている」

　兄は消えた。灰皿にはビリィの吸い殻が押しつけられていた。

第一章　扉

失敗はしていない。

契約実績は三位。しかしどうにもなじめない。会社が吸収されてそろそろ半年になるというのに未《いま》だに異端視されている。

午後八時半。残っているデータをパソコンに打ち込み、ログアウトする。画面は爽やかな初夏の森に変わり、左下に会社のロゴが小さく浮かび上がる。

「帝国不動産販売」

前の会社が経営不振に喘《あえ》いでいた時、旧財閥系に吸収合併されるという記事が業界紙に載り、現場は喜んだ。新卒では就職できなかった大手に入れるからだ。ほとんどの社員がそのまま働くことを選び、全国の営業所に配属された。帝国側は優秀な自社の人材を海外に振り分けるため、国内の拠点に他社の経験者を充《あ》てる必要があった。実際そのように人事は動き、業績もいい。ロゴは初夏の光の下で世間に打ち出したい企業イメージを演出している。上品。清潔。洗練。しかし親しみやすさと善良さをアピールすればするほど嫌悪感が強くなる。

「滝川《たきがわ》さんも行きますよね」

同僚の顔が覗《のぞ》いた。飲みに誘っているのだ。無邪気な目だが、好意の奥に冷徹さが潜んでいる。

「あまり調子がよくなくて」

「夏風邪ですか」

「かもしれません」

鬱《うつ》。

この言葉は使いたくない。使えば、逃避として批判されるだろう。それに一度でも使ってしまうと、そこから逃れられなくなりそうで恐ろしかった。けれども気がつけばネットで関連のページを探し、どれだけ自分が当てはまるか毎日のようにチェックしている。

滝川隆。

パソコンを閉じると、トップに貼った名前のシールが硬く光る。天井のスポットが強すぎるせいだ。

騒ぎ声が遠のくのを待って立ち上がり、ハンガーから背広を取る。

外はまだ暑かった。夜風はほとんどなく、昼間の猛暑が残っている。それでも荷物になるので背広の袖に手を通す。

ネクタイを外し、鞄《かばん》に入れた時だった。

「パパ」

太一の声だ。振り返ると、隣に妻も立っていた。

「どうした」

「近くまで来たから」

「ちゃんとメールしたよ」

個人携帯はマナーモードなので気づかない。

「一緒においしいものでも食べようと思って。きょうから夏休みだし」

現実に引き戻され、ほっとした。

「僕はお寿司がいい」

「真夏にか」

「まさかお鍋でもないでしょう」

「そりゃそうだ」

妻の恵子《けいこ》は淡い水色のTシャツに紺地の薄いスカートをはいている。肩に下げた夏物のオレンジの籠《かご》バッグが鮮やかだ。

「そっちはどうだった」

「ちゃんと行ったわ。講習はあと三回で終わりだから」

「すししげって書いてあるよ」

「ちょっと高そうね」

「じゃ、回転寿司？」

「修了証をもらったらすぐに仕事できるのか」

「そのはずよ。はじめの時給は安いけど」

アロマの香りがした。妻の手に付いている。マッサージの講習で使ったのだ。付き合わされた太一はようやく解放されたのが嬉しいらしく、顔を上げて寿司屋の看板を探している。

高くてもいい。仕事の人間と飲むよりよほどいい。

「よし。連れて行ってやる」

隆は気張って歩き出した。家族が支えだとつくづく思う。自分の身体は家族のためにある。働くのも家族のためだ。先ほどの落ち込みが嘘のようだった。心が軽くなり、どれほどの困難にも立ち向かえそうな気がする。

地下鉄の駅を過ぎ、ひとつ先の路地に入る。

きらびやかなガラスの扉を開け、エレベーターのボタンを押す。

「よかったねぇ、太一。パパのとこに来て」

頭を撫《な》でられてにやにやしている。小学一年生は幼稚園児と変わらない。

エレベーターのドアが開き、出てきた顔を見てはっとした。会社の連中だ。

「どうも」

軽く頭を下げても向こうは無言だった。通りに出ても睨《にら》むようにこちらを振り返っている。店が満員で入れなかったのだろう。動悸《どうき》がした。嘘をついたつもりはない。しかし彼らはそう考える。

「どうしたの？」

「いや、何でもない」

乗り込むと、身体が強張《こわば》り、冷や汗も出てくる。

「ねぇ、煙草《たばこ》くさい」

「今の人たちかしら」

隆は吸わないので家族は煙草の臭いに敏感だ。

ベルが鳴ってエレベーターのドアが開く。

出た時だった。目の前が真っ暗になり、よろめいて入り口のメニュー台にぶつかった。台は倒れ、クリップで留めてあった電球が外れて転がる。

「あなた」

気がつけば四つんばいになり、膝の痛みに顔を顰《しか》めていた。下には「お品書き」の和紙が散乱し、突いた手のひらから床の冷たさが伝わってくる。

「大丈夫ですか」

飛び出した店員だ。

「真っ青よ。少し休んだほうがいいわ」

「夏バテだろう。食べれば治る」

太一には相当ショックだったらしく、立ち上がってもこちらを見つめたままだった。

帰宅し、早々にベッドに入ったが、夜中に目が覚めた。午前四時。急に緊張に襲われ、またしても動悸がした。トイレに立ち、眠れそうもないので三畳の書斎に入った。

閉めきっていたので蒸し暑い。近所の犬が吠《ほ》えている。椅子に腰を下ろし、書棚を眺めた。このままではだめになる。自分をうまくコントロールしなければならない。そう言い聞かせて深呼吸を繰り返す。

闇に慣れてきた頃、一番下の隅にある本に目がとまった。

「智慧の書」

厚紙のカバーに手書きで記されていた。兄だ。大学を中退後、インドで行方不明になった。安宿にリュックが残され、連絡を受けて母親とインドに渡った。高校三年の時だ。受験勉強の最中《さなか》にどうして兄に振り回されなければならないのかと腹が立った。警察の協力を得て探したが、手がかりは得られず、残された荷物を持って帰国した。去年、親戚の葬儀で帰郷した際、ついでに兄の部屋を整理し、その本だけ実家から持ってきた。

照明を点《つ》けてぱらぱらめくると、赤鉛筆で線が引いてあった。

「思慮深く誠実な人は、その生涯の終わりに際して自分の人生をもう一度繰り返したいとはけっして望まないだろう」

わからなかった。真剣に生きた人なら、もう一度人生を求めるのではないか。前向きな姿勢は変わらないはずだからだ。しかしすぐに気づいた。この世の悪意にさらされながらも真剣に生きた人は十分に疲れている。長い戦いを終え、憔悴《しょうすい》しきっている。だから二度と人生を求めることはないのだと。

「まったく何回見れば気が済むんだ。あの夫婦は。買う気がないならもう来るな」

どきりとした。事務所で書類を整理していると、白鬼《しろおに》が帰ってきた。肌が白いので密かにそう呼んでいる。

　動悸が始まり、身体が硬くなる。

　白鬼は不愉快そうに顔をゆがめ、ずんずん廊下を進んでくる。「暑い暑い」とひとしきり騒いだ後、共有の大型テーブルに鞄を投げ出し、椅子にもたれた。ネクタイを緩めながら、見られていることを意識している。熱心な仕事ぶりを見せつけたいのだ。売り上げは二位。その優越感があるので露骨な嫌がらせはしない。それでもいつだったか資料の不備を責められた。些細なことだ。同じ仲間なら「しょうがねぇ」で済ませるが、仲間ではないので大げさに問題にされた。

　ようやく白鬼が所長室に消え、動悸が静まった。溜息《ためいき》をついて天井を見上げる。いつまでこんな状態が続くのだろう。業績の悪い会社の社員は、受け入れる側にとって「お荷物」でしかないのはわかっている。現場からすれば、そんなことに金を使うならもっと給料を上げてくれと思うのだろう。とくに彼らは海外組ではない。エリート組織の中の非エリート。その屈折した感情がこちらに向かう。この事務所に同じ吸収組はいないが、みんな似たような思いを味わっているに違いない。耐えなければ。兄とは別の人生を選んだ以上、初めからわかっていたことだ。

　兄との仲は悪くなかった。五つ上なので喧嘩《けんか》も衝突もなかった。弟のことなど相手にしていなかったのだろう。高校は進学校に入学したが、兄が優等生だったのはそこまでだ。授業を抜け出して図書館に入り浸り、夜中に一人で出歩いたかと思えば、ふらりと東京に行って誰も知らないような映画を見て帰ってくる。大学も「たいしたことはない」と勝手に退学。父は早くに他界していたので小学校の教師をしていた母には悩みの種だった。「隆にはああなってほしくない」と口癖のように言っていた。いつしか兄を落伍者《らくごしゃ》と見なし、母の苦労に報いるのが自分の務めだと思うようになった。しかし最近になって考える。兄の生き方は正しかったのではないかと。自由な早死にと不自由な長生きのどちらかを選べと言われれば、今なら間違いなく前者を選ぶ。

「驚いたわ。もう引っ越してくるなんて。あの家、売りに出てからいくらも経っていないじゃない」

「安く出てたんだろう」

「あまり嬉しくないわ。中国の人ってゴミ出しもお掃除もルール守らないって聞くから」

隆は率直すぎる妻の言葉に戸惑ったが、自分もそう思っていることに気がついた。

「お隣じゃなくてよかったわ。挟まれたらどうにかなりそうだもの」

太一の一件だ。隣の娘とは同い年で幼稚園も同じだった。ところが向こうは遠くの私立小学校に入学してしまった。太一はそれが寂しくて、学校から帰ると前の道端に座り込んでゲームをしているという。会いたいのだ。向こうは監視されているようで迷惑らしい。子どものことだと気軽に考えてはいけない。娘の成長に影響が出るだの、最近の子どもは恐いからだのと、丁重な言葉で苦情を言われたという。

「何とかやっていくしかないな。向こうだって常識はあるだろう」

「どっちの話？」

「中国のほうだ」

「そう願いたいけど」

中国人も周囲からそういう目で見られるとは予想もしていないだろう。ここに住んでいるのは三十代から四十代の家族で、ほとんどサラリーマンだ。その均質な集団の中に異質な人たちがやって来る。摩擦を心配するのは当然かもしれない。と考えて、自分も事務所では異質な存在なのだとあらためて気づく。

ようやく立ち上がり、歩こうとして慌ててテーブルにしがみつく。

「大丈夫？」

「いつもの反応だよ」

「何に反応したの」

「わからない」

ゆっくりと歩き、手すりを頼りに階段を上る。身体が重く、溜息が出る。

「来るぞ」

と、思った時には動悸が始まっていた。全身が脈打ち、頭が心臓に飲み込まれたようにずきずき痛む。首と肩も硬くなり、額と脇が汗ばんでくる。

上りきったところで書斎に入った。「智慧の書」を読もうと思った。

ぱらぱらめくるが、今夜は兄の赤線を避けてみる。自分がどこに感じるのか試してみたい。下の余白に青インクで書き込みがあった。滲《にじ》んでいて読めない。その裏の頁《ページ》。

「『個体化の原理』がとり払われてしまった人は、もはや自分と他人を区別することはなく、他の個体の苦しみに彼自身の苦しみと同じくらいの関心を持つ。そしてただ慈悲深いばかりではなく、自分を犠牲にして他の人が救われるなら、自分自身の生命をすすんで犠牲にする心構えさえある」

なるほどと思う。これなら理解できる。「智慧の書」はさらに言う。

「万物のうちに自分を認識している人は、生きとし生けるものすべての無限の苦悩を自分の苦悩とみなし、全世界の苦痛をわがものとする。彼は全体を認識し、全体の本質を把握している。人間界は苦悩しているし、動物界も苦悩しているし、世界は衰退しつつあるのを目撃している」

わかる。わかってしまう。これほど難しい言葉で考えたことはなかったが、言っていることはその通りだと思う。まさかこのような言葉に出会うとは。気がつけば動悸も肩の強張りも消え、自分がただの意識として存在しているような感覚になる。

ロールスクリーンの向こうが青く光った。雷だ。そう言えば、駅の天気予報が荒れ模様になると伝えていた。風はそれほどではないが、大粒の雨も降り出している。

「世界は衰退しつつある」

どういうことなのかはどうでもいい。ただその言葉に戦慄《せんりつ》する。仕事で感じているわけではなく、家庭で思うわけでもない。けれども間違いなく真実だと直感できる。どうしたのだろう。いつもの自分ではないみたいだ。

気配がして振り返った。

「兄さん？」

人影はすっとこちらに近づき、明るく部屋の中に浮かんだ。

「どうした。そんな顔して」

「こっちが訊《き》きたいよ。どうして僕の家に」

「お前が苦しんでいるからさ」

「苦しんでいる？」

「ああ。見ちゃいられない。つまらんことでくよくよして。もっと図太くならないと生きていけないぞ」

兄は無精髭《ぶしょうひげ》を生やし、古びたTシャツを着ている。

「いつだってそうだった。どうでもいいことまで考え、どうでもいいことまで背負おうとする。悪い癖だ」

「癖なら簡単にはかえられないよ。それに死んでしまった人から『生きていけない』って言われてもな」

「それが理屈っぽいって言うんだ。だからくよくよするんだ」

不思議な懐かしさを感じて笑ってしまった。兄も安心したのか微笑《ほほえ》んでいる。

「お前はまだ自分が何者か気づいていないが、いずれあれこれ悩んだところで無駄だと悟るだろう」

「いずれっていつだい」

「お前次第だ」

「悟れるものなら早く悟りたい。そのほうが楽になれる」

「それはわからんさ。悟りが楽とは限らない」

「兄さんのほうが理屈っぽいじゃないか」

「兄弟だからな。そもそもお前が俺の真似をしたんだ。ガキの時分から真似しなくてもいいことまで真似しやがった」

兄はジーンズのポケットから見慣れない煙草を取り出した。焦げ茶色で細く短く、葉で巻いてある。

「この部屋は禁煙だよ」

「そんなことはわかってる」

「だったら吸わないでくれ」

「死んだ人間の煙草がお前らに臭うはずないだろう。美味《うま》いんだぞ。ビリィってやつだ。ちょっと辛《から》いが、葉っぱが香ばしい」

マッチを擦って火を点けた。紫色の煙が立ち籠《こ》める。兄の白くおぼろな姿が煙に包まれ、ますます不思議な光になる。

「隆。無抵抗のまま、じっとしていることはないぞ」

「わかってるよ。だけど、どうしたらいいんだ」

「打って出ろ」

兄はいつの間に煙草を捨てたのか腕組みをして少し宙に浮いていた。本棚は兄の光に隠れ、兄の周りだけどこかの山の景色が浮かんでいる。雪があり、空は青い。

「打って出るって？」

「人に頼るな。自分で考えろ」

戸惑っていると、兄は「また会おう」と言い残して闇に消えてしまった。

雨は勢いを増し、激しく屋根を打っている。稲光も続き、夜が青く浮かび上がる。どうしてここに現れたのだろう。どうして自分の不安を言い当てたのか。しかし落ち着いて考えられなかった。二度と会えないと思っていた兄と会った。言葉まで交わした。その衝撃で混乱している。「打って出ろ」と言っていた。「お前はまだ自分が何者か気づいていない」とも。

青い闇に目を凝らす。部屋の景色が見えるだけで兄の痕跡は何もない。机も本棚も壁に掛けた写真と絵も何一つ動いていない。しかしこの香り。ビリィとかいう煙草の匂い。インドで吸っていたのだろう。自分の不安を静めるために。そうだ。兄も悩んでいたのだ。

胸が熱くなった。家を飛び出し、母を悩ませ、落伍者であったはずの兄に初めて愛《いと》おしさを感じた。たとえ死んでしまったとしても、それを敗北と言うのは違う気がした。勝者ではないが、敗者でもない。勝ち負け以外のところで生きようとしていた。

八月の暑さは厳しいが、体調はいい。動悸がしなくなった。目まいもしない。兄のおかげかもしれない。きのうは「智慧の書」を取ろうとした時に現れ、あれこれしゃべって帰って行った。

「何があろうと堂々としていろ」

覚えているのはひと言だけだが、自分がいかに弱気すぎたか教えてくれた。吸収合併は組織と組織の問題だ。負い目を感じてびくびくすることはない。

兄が消えた後で読んだ箇所を思い出す。珍しく音楽について書かれていた。

「速いダンス音楽の平明な楽節は、たやすく得られる月並みな幸福を語っている。それに比べ、大きな楽章の息の長い Allegro maestoso は、遠い目標へ向かって高貴な努力を重ね、ついにその目標に到達したありさまを表している。そして Adagio は、ちっぽけな幸福など相手にしない大いなる貴い努力の苦悩を語っている」

わからなかった。ネットで意味を検索した。Allegro maestoso は「速く、荘重に」。Adagio は「緩やかに」。要するに「急ぐな」ということだと理解した。急ぐにしても「荘重」でなければならない。手っ取り早さよりは、大きな目標を掲げ、そこに向かって苦しんで生きてみろ。その努力が貴いのだと。

不思議と兄が現れた時は「智慧の書」の話はできなかった。兄に訊けば理解も早いと思うが、兄の話を聞いているうちに忘れてしまう。兄か、「智慧の書」か。どちらか一方にしかアクセスできないルールらしい。

帰宅してシャワーを浴び、食卓に着いた。太一と妻は済ませている。帰る時間がわからないので、先に食べるように言ってある。それでも父親が帰ってきたのが嬉しいらしく、太一は食べたはずのハンバーグを眺めてにやにやしている。妻は明るく振る舞っているが、どこか無理をしている。

「嫌なことでもあったのか」

「どうして？」

「顔に書いてあるよ」

「だめね。隠していたのに」

「きょうが初出勤だったよな。アロマサロン」

黙っている。子どもの前では話したくないらしい。太一は妻の実家に預けられていたので知るはずがない。

「いろんな人がいるってこと。新米だから仕方ないのはわかっているんだけど」

「厳しいのか」

「というより、悪意を感じるの。ほかの人とは態度が違うんだもの」

「初日だけじゃわからないだろう」

隆はそう答えながらも妻の直感は正しいのだと思った。新参者《しんざんもの》を受け入れない。よくあることだ。自分も引っ越してきた中国人をまだ受け入れていない。拒むことで自分を守っている。けれども拒まれた側は敏感に察知する。

「で、どうするんだ。辞めたくなったのか」

「冗談じゃないわよ。これまでたっぷり授業料を払ったんだから最低でも元は取るわ。でも少し憂鬱《ゆううつ》」

「人生は Allegro maestoso か Adagio で行くんだ」

「何の話?」

興味を示したので理解できる範囲で話してみた。すると、「受け売りでもすごいじゃない」と喜んでくれた。いつもの明るさが戻り、立ち向かう気になったようだ。やはり「智慧の書」はすばらしい。


「ヤスイですね」

「ありがとうございます」

「ここはベンリだし、いい所です」

小柄なイラン人だった。知的な顔立ちに眼鏡がよく似合い、爽やかな香水の匂いもする。仕立てのいい夏物のスーツを着こなし、袖からは金時計が覗いている。南西側五階の２ＬＤＫ。売り出し中のマンションの一部屋だ。すぐ前に清掃工場の煙突が見えるのが難点で、まだ買い手が付かない。しかしイランと日本を行き来するので、眺めにはこだわらないという。絨毯《じゅうたん》や細密画の輸入販売会社を経営し、外国人登録もし、支払いは現金とも話してくれた。

買ってくれるなら買ってほしい。だが、迷いもあった。入居後、周囲とトラブルにならないだろうか。仲間が大挙して押し寄せてくるとか、朝早くからコーランのお祈りをするとか。ドラッグの密売はないだろうが、イラン人が入ったことが知れると上下両隣が売れなくなるかもしれない。偏見だ。わかっている。けれどもメディアを通じて悪いイメージばかり流されるので考えてしまう。

「聞いていただいてマスか」

「はい」

「お隣はドンナ人が買いましたか」

「まだどなたにもお買い上げいただいておりません」

「そうですか。最近の日本の人はコワイですから」

おかしかった。向こうもそう思っているらしい。

「この前、絨毯を届けに行って、裏に小さな汚れがあっただけでものスゴク怒られました。こちらも悪いけれど天然のウールです。向こうから船で運んできます。イラン人だったらそこまで怒りマセン。値引きしろとかは言うかもしれないけど。ほんと、恐かったデス」

「それはお気の毒でした」

そう答えながら、同じ状況なら自分もクレームを付けていただろうと思った。値段はどうあれ、買う以上完璧でないと気が済まない。客だからと威張るつもりはないが、金を払う以上納得したい。偏狭な潔癖主義。生真面目さはいつでも不寛容に転換する。

「あの、朝のお祈りは何時くらいに」

「サラー？　わたしはマジメじゃないからテキトウです。本当は夜明け前にしなければいけないけれど、仕事で疲れているから、起きた時が最初のサラー」

「たしかメッカの方角に向かってお祈りするんですよね」

「ヨクご存じ」

「どちらかわかりますか」

「こっち。たぶん。来る時、周りを見たから」

眼鏡の奥で人なつこそうな目が初めて笑った。日本でいろいろ苦労しているのだろう。

「パーチャス・コントラクトはできますか」

「パーチャス？」

「契約です。買いマス。ここ」

「ありがとうございます。まずお申し込みをいただいて、次に本契約という流れになりますが、いずれにしても事務所のほうで」

「行きマス。早いほうがいいです」

タクシーの中でイラン人はアリと名乗った。イスラム教のシーア派という。国民のほとんどがそうらしい。日本にいる時は酒を飲むし、サラーも熱心ではないが、さすがに豚肉は食べないという。チャイニーズレストランで知らずに食べそうになったことがあり、気づいた瞬間、吐き気に襲われたと言っていた。子どもの頃からそう教えられて育ったので抵抗感が消えないらしい。

「日本の人はシントウでしょ。それかブッキョウ」

「そうですね」

「タキガワさんはどちらです」

「両方のような、どちらも違うような」

「たいてい日本の人はそう言いマスね。イラン人も同じ。熱心なのは一部の人タチ」

不思議な気がした。初めて会ったのによそよそしさがない。そもそもイランの人と話をするのも初めてだ。

「前にどこかでお会いしたことがありましたっけ」

「タキガワさんと？」

「はい」

「たぶん初めてデス。ほかの会社には行ったことがありますけど。こういうマンションの」

「そうですよね。すみません。余計なことをうかがって」

ちょうど信号待ちでアリの隣に霊柩車《れいきゅうしゃ》が停まった。金色の屋根が付いた派手なタイプだ。今時珍しい。アリも興味深そうに身を乗り出して観察している。

「ゼンセで会ったことがあるのかもしれません」

「前世って、ずいぶん難しい言葉をご存じで」

「ブッキョウの人はそう考えるんでしょ。何となくわかります」

「お会いしていたとしたら、わたしもイラン人だったってことでしょうか」

「おかしくないデスよ。だいたいのもとはペルシャですから。あのアシュラも」

「アシュラ？　阿修羅像のことですか」

「そう。古代ペルシャのゾロアスター教のアフラ・マズダでしょう」

何のことかわからなかった。アリはもう一度霊柩車を見てから前方の信号を気にしている。このイラン人は本当に絨毯屋なのだろうか。

事務所に着き、商談コーナーの一角にアリを座らせる。冷たいお茶を出し、申込書にアドレスと名前を記入するよう頼んで所長室に向かう。居合わせた連中は「妙な客を連れて来た」と言いたげに不快な視線を投げてくる。もう慣れた。どうせよそ者だ。よそ者ならよそ者らしい客に売ってやる。支払いに問題がなければかまわないだろう。

しかし甘かった。「外国人は避けろ」という。ほかの客が嫌がる。入居した後で問題が起きても責任を負えない。それが理由だった。「今事務所で待っている」と言うと、所長は自分で連れて来たのだから自分で追い返せという。

いったん廊下に出てトイレに行く。エレベーターの向こう。用足しより、時間稼ぎのためだ。鏡に映った自分を見て驚いた。老けていた。いつの間にこんな顔になったのだろう。目尻に皺《しわ》が入り、頬も痩《こ》けている。

「堂々としていろって言っただろう」

兄だ。声だけで姿はない。

「わかってるよ。でも気の毒な気がしてね。イラン人だとどうしてだめなんだ」

「恐いんだろう」

「どこが？　彼は紳士だ」

「お前だってはじめはそう思ったじゃないか」

「今は違うよ。彼らに売りたくないなら、はじめから『外国人お断り』の看板を下げればいいんだ」

「それじゃ排他的だと批判される」

「事実じゃないか」

水を流す音が響き、白鬼が出てきた。黙って隣に立ち、手を洗っている。苦虫を噛《か》み潰したような顔とはこのことだ。自分だけが働き、割に合わない人生を押しつけられていると思っている。おかしい。組織から評価されているではないか。それなのに何が不満なのだろう。評価が足りないと思っているのかもしれない。もっともっと評価され、見合った報酬を与えられ、人々にひれ伏してもらいたい。その欲求が強いので、現状が気に入らないのだ。

トイレを出て事務所に戻る。アリは待っていたとばかりに顔を上げ、にこやかにこちらを見ている。

「まことに申し上げにくいのですが、手違いがございまして」

「どうしマシタ？」

「実は先約がございまして」

「あの部屋デスカ？」

「ここへ来る間に電話で購入の申し込みがあり、ファクスで書面を送ってこられたお客さまがございました。先着順のルールですから、申しわけありませんが、そちらのほうを優先させていただきたいと存じます。もちろんキャンセルになれば、ぜひアリさんにお買い上げいただきたいと思っています」

アリは遠くを見ていた。観葉植物の向こうの壁に大きな版画が掛かっている。棟方志功《むなかたしこう》だ。どこかの画商に買わされたのだろう。うごめく裸体が気味悪い。

「アシュラの意味を知ってマスカ」

「いえ」

「もともとは善《よ》い神サマ。それがインドに入って悪い神サマになった。ブッキョウでもそう。シュラの世界って悪いでしょう。よそから来たものは受け入れない。気の毒なアフラ・マズダ」

「申しわけございません」

アリが立ち上がったので内ポケットから札入れを出し、帰りのタクシー代として千円を差し出した。

「ブジョクですね」

澄んだ目に言われ、また頭を下げた。

久しぶりに苦しくなった。動悸もする。夜中に起きて「智慧の書」を出す。

「誰でも青年期の夢から覚めれば、この人間界が偶然と誤謬《ごびゅう》の国であることを、そして偶然と誤謬は大小を問わずこの世に無慈悲に跋扈《ばっこ》し、痴愚《ちぐ》と悪意がこれと並んで鞭《むち》をふるっていることを認めるようになるだろう」

その通りだった。この作者は自分と同じような悔しさを身を以《もっ》て味わった人に違いない。

「善きものごとが遂行されるにはなかなかに骨が折れ、貴いもの賢いものが姿を現すのはごく稀《まれ》である。わが物顔に横行しているのは思考の国では不条理と背理、芸術の国では平板と無趣味、行為の国では姦悪《かんあく》と策謀《さくぼう》である」

また犬が吠えていた。いつもの犬だ。自分だって吠えてみたい。思い切り心の底から。深夜の街角で、白昼のオフィス街で。声はそのためにこそある。

「そうだ。ようやく気づいたな」

兄だった。珍しく顔をゆがめ、屈《かが》んで足首の辺りを押さえている。

「どこかで挫《くじ》いた？」

「犬に噛まれた」

「犬？　あの角の家の？」

「気持ちよさそうに寝ていたから尻尾を踏んでやったんだ。前に吠えられた仕返しにな。そしたらいきなり飛び起きやがって」

「子どもみたいなことをするからだよ。血は？」

「出るはずないだろう」

「そうだった」

兄は身体を起こすと、どこから取り出したのか小さな煉瓦《れんが》色の杯《さかずき》でお茶を飲み始めた。見たことのない器だ。

「チャーイだ。素焼きで飲むのが一番うまい」

「兄さん。前から訊こうと思ってたんだ」

「どうした。あらたまって」

「インドで何があったのか教えてくれないか」

「そんなこと知ってどうする」

「探しに行ったんだよ。高校の時に。母さんも一緒だった。デリー、ベナレス、コルカタと一通り回った。あったのは安宿に残された小さなリュックだけ。それ以外に手がかりはなく、あきらめて帰ってきた。母さんは嘆いていた。ベナレスの川縁《かわべり》で。苦労して育てた息子が何の言葉も残さずにインドで消えてしまったんだ。当たり前だろう。ただの事故なのか。それとも何かの事件に巻き込まれたのか。当時五十を過ぎ、そろそろ老後を考えなければならなかった母さんにとってどれほどの親不孝だったか考えてみてほしい。ガンジスを前に母さんが流した涙を兄さんも見るべきだったんだ」

兄の姿が少し薄くなった。消えるつもりなのだろうか。

「待ってくれ。行っちゃだめだ。母さんもずいぶん弱ってきた。行方知れずのままというのは残酷すぎる」

「母さんのために知りたいのか、お前自身の好奇心なのか。どちらだ」

「両方だ。そんなことはどうだっていいじゃないか。弟だって知る権利はあるし、兄さん自身、説明する義務があるだろう」

兄は再び色が濃くなり、今度はビリィを吸っている。

「一口には語れない。とても難しいことなんだ」

「どうして。話すのが恥ずかしいのかい？　何かへまをして死んでしまったとか」

「そうじゃない。もっと深いことだからだ」

そう言われると黙らざるを得なかった。「智慧の書」を愛読していた兄なら、自分にはわからない考えを持っていても不思議ではないからだ。

兄はビリィを吸い終えると、吸い殻を無造作に捨てた。火事になると思ったが、床に落ちる前に消えている。

「隆」

「聞いてるよ」

「お前は本当に自分が滝川隆だと思っているのか」

「どういうこと？　ほかの名前だっていうのかい」

「そんな問題じゃない。存在に関わることだ」

兄は顔を顰め、新しいビリィに火を点けた。苛々《いらいら》しているのがよくわかる。説明しようとして苦しんでいるのだ。

「お前にひとつ訊きたいことがある。お前はこの世で何をしているのだ」

「働いて家族を養っている」

「そんなことはわかっている。訊いているのは、それがどういう意味を持つかってことだ。その意味をどうとらえているかってことだ」

「大事な務めだと思っている。自分を支えるための」

「よし。では、どうしてそれが大事なんだ。自分を支えることがそれほど大事か」

「もちろんだ。自分が崩れてしまっては生きていけない」

「なぜだ」

「苦しいからだと思う。自分をつかみきれていない人生は」

「自分が崩れることと、自分をつかみきれていないことは同じことか」

「たぶん」

「あいまいな答えはやめろ」

兄の声が大きかったので、妻と子が目を覚ますのではないかと心配した。厳密に考えれば違うかもしれない。崩れた自分というのは前に一度つかんでいたことだ。つかみきれていないというのは、一度もつかんだ経験がないことだ。つかんで崩れるのか、崩れた後で再びつかめていないのか、あるいはもともとつかんでいないのか。違うといえばすべて違う。

「俺はな、考えていたんだ。必死になって。そんな問題を。しかし考える人間は嫌われる。

問うからだ。問わなくてもいいことを。考えたくない連中にとっては迷惑なんだ。だから俺は一人でインドに行ったんだ」

　初めて肉声を聞いた気がした。悲痛だった。それにしてもあなたは本当に兄なのか。少しも兄らしくない。いや、少しも他人らしくない。まるで自分が感じていることを代弁しているみたいだ。が、まだわからない。なぜインドに行ったのか。どうして行方不明になったのか。こちらの問いには答えていない。

「言っていることはわかるけど、答えになっていないよ。問いかけが大事だって自分で言っているくせに」

「そう急ぐな。まだ話は終わっていない」

　兄は膝を持ち上げて片足立ちになり、噛まれた足首の辺りをさすっている。志をもってインドに行った人間にはとても見えなかった。みすぼらしい。間が抜けている。けれども身体を支える片足は絶妙の均衡を保っていた。貧しい旅行をしていただけあって余計な肉はそげ落ち、膝回りも腿《もも》も引き締まっている。

「本気で噛みやがったな。穴がふたつある」

「血は出ないくせに」

「それでも腹は立つ。あいつは犬畜生の分際だ」

「差別だね」

「何とでも言え。噛まれて怒らない奴に生きる資格はない」

「踏まれて噛まない奴にも生きる資格はないんじゃないの」

兄は嬉しそうな顔でこちらを見た。

「その調子だ。もっと攻撃的になれ。暴力をふるえと言っているんじゃない。守ってばかりいないで攻めていけってことだ」

「話を戻そう」

「いや、続いている。同じ話だ。お前の質問の延長にある」

「はぐらかさないでほしい。訊いているのはインドで何があったかってことだよ」

「その前にもうひとつ訊こう。何があったかを語ることは今のお前に有益なのか」

「そうだよ。それに母さんも納得する。さっきも言ったじゃないか」

声を荒らげたので兄は怯《ひる》んだ。初めて見る。顔が強張り、震えている。いや、声の調子に反応したのではない。思い出したのだ。恐ろしい体験を。その証拠に額に冷や汗を浮かべ、肩で息をしている。動悸だ。自分ではなく、兄が胸の鼓動に苦しんでいる。

「わかった。いいよ。とにかく気持ちを落ち着けて」

兄は答えず、荒い息づかいが続いている。顔は暗く、土気色《つちけいろ》になっていた。悪いことをした。兄は死んでいるのだ。手を差しのべようとして立ち上がった。兄はすっと下がり、近づけばまた同じ距離だけ退いた。

「謝るよ。そんなに辛《つら》い思いをしたとは気づかなかった。また今度にしよう。その気になった時に話してくれればいい」

兄は無言で浮いていた。ビリィを吸い、チャーイを飲んでいた兄とは別人のように弱々しい。これまでの兄はどこに消えてしまったのだ。野性的で、孤独を好み、その重みに耐えるタフな兄は。後悔した。余計なことを訊かなければよかった。会えただけで幸せなはずなのだ。

「つまらないことを訊いた自分が馬鹿だったよ。認めるから今までのようにいろいろと話してほしい。そうだ。大事なことを訊こう。この本だ。『智慧の書』って書いてある。これは兄さんの字だよね。いつ、どこで手に入れたんだい」

兄の顔はいくらか和らいだようだった。しかし言葉は返ってこない。兄との会話か、「智慧の書」か、どちらか一方にしかアクセスできないというルールを犯したからだ。足音がする。妻だ。騒がしいので目を覚ましてしまったのだろう。かまわない。後で話せばわかってくれる。

気がつけば兄の服装が替わっていた。見たことがない。映画にでも出てきそうな衣装だ。ゆったりとした絹地。金糸《きんし》と銀糸《ぎんし》の文様。胸元には鳥のような刺繍《ししゅう》が施されている。顔は生き生きとし、輝いている。思わずひざまずいた。立っているのは許されないと思った。いい香りがする。ビリィではない。伽羅《きゃら》か白檀《びゃくだん》のような高貴な匂いだ。

兄は微笑んでいた。もう会わないつもりだ。

「兄さん」

声にならない。引き止めても無駄だろう。それより再会に感謝したい。

「お礼を言うよ。おかげで立ち向かう気持ちが出てきた。少し強くなったんだ」

聞こえたのか聞こえなかったのか表情は変わらなかった。ただ静かに肯《うなず》いたように見えた。そしてすっと消えてしまった。

「誰と話してるの？」

妻だ。しかし兄が去ってしまったことが寂しく、何も答えられない。

「いい香り。アロマとは違うけど」

太一も起きてきた。

「ほら、何だかいい匂いがするでしょう。パパのお部屋」

言われて太一も鼻を動かしている。妻にぶら下がるようにしがみついたのでパジャマのシャツがずり上がり、お腹が見えた。

「あなた。どうしたの。何だかすごく幸せそうよ」

「そうだな。幸せかもしれない」

「それにすごく穏やかな顔」

「そうだな。そんな気持ちかもしれない」

ようやく立ち上がり、妻と息子を抱き寄せた。温《ぬく》もりを感じる。ここが自分の居場所だ。それでいい。ほかに何もいらない。

と、太一がするりと抜け出し、机の本を手に取った。分厚くてつかみにくかったらしく、カバーが取れて本ごと床に落ちた。

「だめよ。パパに怒られちゃうよ。大事なご本だから」

「大丈夫。それくらいで傷みはしないよ」

拾った時だった。もともとの題が目に入った。

「『意志と表象としての世界』Ａ・ショーペンハウアー」

「難しそうな題名ね」

「ああ」

「お兄さんのでしょ」

「たぶん」

「自分でそう言ってたじゃない」

「言ったことは覚えている。しかし違う気がするんだ」

「もう寝ましょう。疲れているんだわ」

「持ち主はどうだっていいんだ。それより書いたのは自分かもしれないって思うんだ」

「何ですって？」

ロールスクリーンの向こうで稲光がした。夏の夜なので珍しくない。本は閃光を受けて瞬間瞬間に青く燃える。何かを語りたがっているような気がした。本にまつわる秘密だろうか。それとも本を持っていた兄についてだろうか。

本が手の中で熱くなるのを感じた。ぱらぱらと頁をめくって熱を逃がすが、厚地の表紙も紙の一枚一枚も燃えてしまうほど熱くなる。無我夢中で抱え込んだ。胸と腹で必死に熱を受け止める。全身で抑え込めばあきらめてくれるだろう。だめかもしれない。燻《くすぶ》った後で発火するかもしれない。その時はその時だ。

第二章　言葉

一　一七八九年　パリ

デュペロンは飲みたくもないワインを口に含み、ほとんど残したまま寄せ木細工のテーブルにグラスを戻した。弟はあいまいに首を振っただけで閉めた窓を眺めている。外は時季外れの嵐が吹き荒れ、午後だというのに陽が落ちたように暗い。

断られたのか、受け入れてくれたのか。

藍地《あいじ》の上衣《じょうい》は胸のボタンがふたつ外され、シャツの襟が見えている。しばらく会わないうちにまた太った。顎が首とつながり、投げ出した脚は腿の肉に押されてだらしなく開いたままだ。

「無理にとは言わない。ほかにあてがないわけでもないからな」

「結構なことです。頼れる知人は大切になさったほうがいいですから」

「嘘じゃない。金を貸してくれる所はいくらでもあるんだ。王立図書館で働いていると言えばな」

デュペロンは負けじと声を張ったが、すぐに虚《むな》しさに襲われた。東洋言語担当司書。ラテン語、ギリシャ語、アラビア語、ヘブライ語、ペルシャ語、サンスクリット語。すべて身につけ、国王が所有する文書、文献の整理と新たに購入する本の選定を任されている。だが、アカデミーの会員ではあってもソルボンヌの教授ではない。宗教書の翻訳はしても教会の保護は受けていない。世渡りには関心がなかった。地位を得る暇があれば少しでも研究に費やしたかった。後悔はない。しかし金もない。

「この嵐じゃ船は遅れるな」

弟はさっきより明るく言った。気分を変えたかったのだろう。突然の訪問で仕事を中断され、挙げ句に金の無心では仕方ない。

「次の荷はどこから来るんだ」

「アラビアですよ」

「乳香《にゅうこう》だな」

「ほかにもあります。陶器に銀細工、絨毯《じゅうたん》にワイン」

「ワイン？　アラビアのか？」

「ひと味違うと評判でしてね。誰が言い出したのか注文が急に増えました」

「いいことだ」

弟は溜息をついて両手を天に向けた。

「商売の苦労も知らないくせに」

口には出さないが、言いたいことはわかる。しかしどうしようもない。自分にはこういう生き方しかできなかった。

三十年以上も前、王立図書館の東洋写本部で働き始めた頃だった。親しくなった中国学の教授の家に招かれ、古代ペルシャのゼンド語で書かれた写本を見た。オックスフォードのボドリアン図書館から送られてきたものだ。文字というより文様に近かった。鬚のように曲がり、気まぐれに跳ね、それでいて余白は調和が取れていた。心ある人の手によるものであることは明らかだった。意味に関心が向いたのはこの後だった。教授に尋ねた。けれども首を横に振った。ヨーロッパの学者でゼンド語を理解できる人はいないと言った。家を出た後もまっすぐ帰る気になれなかった。パレ・ロワイヤルを抜け、セーヌ川沿いを歩き、サン・ルイ島を過ぎていた。興奮していたのだ。「理解できる学者はいない」。この言葉がいつまでも耳の奥で響いていた。やるしかない。自分が。二十三歳になっていた。野心はあっても成すべき仕事が見つからずに焦っていた。思い立った時、進む道が見えた喜びとその険しさに身体が震えた。学ぶにはどうすればいいのか。再び教授に訊くと、写本はゾロアスター教の聖典の一部らしいという。インドに行けば手がかりがつかめるかもしれない。イスラム教徒に追われて移住したゾロアスター教徒が大勢いたからだ。気持ちがはやっても渡航する機会はなかなか得られなかった。父は香辛料の商いをしていたが、直接東方に買い付けに行くほど大胆ではなかった。研究のためなので相談できるはずもない。伝手《つて》を頼ってようやくフランスのインド会社の私兵として雇われることに成功し、その年の暮れに船に乗った。

「いくらあれば足りるんです」

突然の声に戸惑った。ぎりぎりでいい。四百リーヴル。いや、五百リーヴル。そうだった。そもそも生活費を援助してほしくて来たのではない。次の出版資金の一部を頼みに来たのだ。オリエント法制史の解説書。しかし今さら言えない。弟は家賃と食費が足りないのだと思っている。

「五百ももらえば十分だ」

「それで何カ月暮らせるんです」

「半年は大丈夫だ。図書館の俸給もあるからな。とにかく本に金がかかるんだ。どこの商人も珍しい本には法外な値段をふっかけてくる」

「国の金で買えばいいでしょう」

「それでは国王のものになってしまう。部屋で手に取ることはできないだろう」

「読めれば同じでしょうに」

「手元に置いておきたいんだ。生きた言葉こそな」

弟は立ち上がって窓辺に立った。風雨が窓に打ち付け、外は白く濁って何も見えない。偏屈者の道楽。拗《す》ね者の玩具。陰口には慣れている。言葉を学んでも商いに使えなくては無駄だとあちこちで言われてきた。役に立つこと。実用的であること。反論したのは十代の頃までだ。いくら説いてもわかってもらえなかった。言葉は魂の領域でこそ力を発揮するというのに。

「シチリアまで来ていれば」

「心配するな。お前の船だ。とうに港に避難しているさ」

「五千でどうです」

「何の話だ」

「渡す金ですよ」

「多すぎる。ひとけた違う」

「かまいません。その代わり、しばらく来ないでもらえませんか」

弟は初めてこちらを向いた。鬘《かつら》を付けていないので額が禿《は》げているのがよくわかる。その下で青い目が冷たく光っている。

「そこまで嫌われていたとはな」

「用意します」

弟は靴音を響かせて部屋を出ようとした。

「ここは俺が生まれ育った家だ。母が死んだ時も父が死んだ時もみんなここに集まった。それを来るなと言われて納得できるもんじゃないだろう」

「しばらくと言ったはずです。まずいんです。今、出入りされると」

「金をせびるからか」

「兄さんのことは理解しているつもりです」

「では何だ。はっきり言ってみろ」

弟は近づき、声を潜めた。

「大事な時期なんです。父から引き継いだアンクティル商会が大きくなれるかどうかという」

「商売の邪魔はしていないつもりだ。だから五百と言っただろう」

「義父のことです」

意外だった。弟の妻は銀行家の娘で、小太りだが、気立てはよく、弟に内緒でいくらか助けてくれたこともある。その父親が問題という。

「いいですか。よく聞いてください。先月、三部会が開かれたことはご存じでしょう。百七十年ぶりにです。われわれ第三身分の商人も僧侶や貴族とともに世の中のことについて話し合う機会を得たわけです。けれどもそれはまだ形だけで票決をどうするかは決まっていません。全体の多数決でものごとを決めるのか、それとも身分、つまり部会ごとで決めるのか。全体の多数決なら数が多い第三身分に有利ですが、部会ごとなら、第一と第二に手を組まれて二対一で負けてしまう」

「それがどうしたんだ」

「このままでは終わらないってことですよ。特権階級に対する不満は強いですから。成り行きによっては大変なことになる」

「だからそれがどう関係するのかと訊いている」

「義父は銀行家です。それもブルジョア階級には珍しく急進的です。自由に貸し付け、自由に金利を取れる仕組みを望んでいるんです。一方で我が商会は義父からの支援がなければ大きく飛躍できない。だから嫌われるわけにはいかないんです」

「俺が出入りすると嫌われるのか」

「義父は兄さんが王立図書館で職を得ていることを快く思っていません」

動揺した。そのように思われていたとは考えたこともなかった。図書館で文献に囲まれている人間は役立たずに見えるのだろう。義父からすれば、婿《むこ》がその兄に金を貸すことは、結果的に銀行の金で偏屈者の道楽を助けるのと同じになる。

「やっかいなものだな」

「生き残るためです」

「きょうの話は忘れてくれ。こちらは大丈夫だ」

雨用の帽子と外套《がいとう》を取り、出口に向かった時だった。

「誤解しないでください。義父が気に入らないのは兄さんじゃない。国王ですよ」

「どのみち同じことだ」

「違います。王立図書館というのが気に入らないんです」

「どういうことだ？」

「これ以上は」

ドアに近づくと、蔦《つた》を象《かたど》った銅製の取っ手が動き、すっと開いた。義妹《ぎまい》のクロティルドだ。驚いた顔で立っている。聞いていたらしい。

「仕事の邪魔をしたようだ。失敬するよ」

「お待ちください。まだ外は嵐ですわ」

「濡れるのも悪くない」

「あなたも引き止めてくださいな。これじゃお義兄《にい》さまが気の毒です」

「お前は黙っていなさい」

「いえ、こんなのはよくないわ。ね、お義兄さまも機嫌を直して。もうすぐお食事にしますから」

「気持ちはありがたいが、まだ仕事が残っているんだ。嫌われている図書館でね」

デュペロンは二人に向けて軽く手を挙げると、廊下を抜けて階段を下りた。踊り場の壁には狩りの様子を描いたイギリス風の絵が掛けられ、半月形の飾り棚には陶の壺が置かれていた。父の頃にはなかった。弟の才覚がここまで商会を大きくしたのだ。気持ちはわかる。だから離れて暮らしている。

玄関に立つと、風は強く、雨も斜めに走っていた。

「少ないですけど」

クロティルドだ。弟に言われて追いかけてきたのだろう。五千は多すぎるので、千リーヴルだけ受け取った。

「書きものには欠かせないだろうって」

新しいインク瓶と羽根ペンだった。

「助かるよ」

革袋に入れて斜めに下げ、上から外套を着て歩き出した。

「馬車を呼びますのに！」

「次の機会に」と振り返らずに叫んだ。

乾きかけた靴はすぐずぶ濡れになり、顔を上げると帽子の庇《ひさし》から雨が入った。通りには馬車も人の気配もなかった。雨粒が石畳に黒く跳ね、窪《くぼ》みに汚水と塵《ちり》が溜まっている。角を曲がると、ホテルの客が笑いながらこちらを眺めていた。一人は立ったままコーヒーカップを手にしている。

「わたしはいずれの地にとどまり、いずれの地に行くべきか」

ゾロアスターの言葉が蘇《よみがえ》った。真理を求めて彷徨《さまよ》うペルシャ人のほうが自分にはずっと優しかった。

図書館を出た時には雨はやみ、西の雲間が赤く染まっていた。凪は残っているが、南風なので生温《なまぬる》い。

仕事ははかどらなかった。集中できず、インクをこぼしてしまった。弟と会ったせいだ。自分がいかに世の中と隔絶して生きているかあらためて気づかされた。このところ小さなことで心が揺れる。五十八歳。もういいのかもしれない。成し遂げていない仕事はたくさんあるが、体力と能力を考えれば仕方がないのだろう。

七年間のインド滞在を終え、イギリス経由でパリに戻った日のことを思い出す。一七六二年三月十四日。三十一歳になっていた。父と弟が出迎えてくれ、母は痩けた顔を見て涙ぐんだ。家族と再会できた喜びより、文献が無事に運ばれたかが気になった。全部で百八十。自分で写したものもあれば、羊皮紙《ようひし》に記された貴重な巻物もあった。赤痢《せきり》と熱病に悩まされながら必死で集めた言葉の数々。青春を懸けて手にした宝物だった。翌日、王立図書館に届けに行った。盗まれたら取り返しがつかないからだ。学者、写本司書、庶務長、図書館長。知っている人も知らない人もいたが、歓迎され、苦労をねぎらってくれた。

「これからが本当の仕事です。すべて翻訳して、我がフランスを豊かにしたいと考えています」

若さゆえの気負いに居合わせた人たちは苦笑した。それからが大変だった。言葉を一語一語移し替えることはできても、全体の意味がつかめない。滞在した西インドのスーラトではゾロアスター教徒の僧侶に意味を尋ね、ひとつひとつ書き留めておいたが、いざ作業を始めると、自分の理解の浅さを痛感した。入り口でつまずき、自分の企てがいかに途方もないか初めて悟った。それでも投げ出そうとは思わなかった。自分にしかできない仕事だと信じていたからだ。自然科学では満たされない領域。ギリシャの哲人やキリスト教が考えたのとは別の世界。自分だけではない。未来を向くヨーロッパの人間なら誰もが光の手がかりを求めていた。

まずは持ち帰った文献を徹底して分類しようと腹を決め、再び訳出に取り組んだのは三年目に入ってからだった。その甲斐《かい》あってわからない単語にぶつかっても、ほかの文献の使用例を参考に読み解くことができた。原典に誤りがあると疑われた時は、無理に意味を確定せず、誤字らしき文字だけ選び出して誤りの法則性を探し出した。根気のいる作業だったが、楽しかった。そして帰国から九年の一七七一年、ゾロアスター教文献のフランス語訳を初めて完成させた。「ゾロアスター教徒」、「ゾロアスターの生涯」などを含む全三巻の大著。絶賛された。並々ならぬ努力と讃《たた》えられ、あちこちの学者や研究者に招かれて講演した。すでに四十歳。それだけの歳月が必要だった。

しばらくして批判が始まった。ヴォルテールや百科全書派の人々は「独断と偏見に満ちた旅人の軽薄さ」とこき下ろし、モーセやキリストを凌《しの》ぐゾロアスター像が示されていないと失望を露《あら》わにした。またイギリスでは匿名の文書が出回った。「翻訳は間違いだらけで古代ペルシャ語を理解していない」「そもそも入手した文献が偽物だった可能性がある」。愕然《がくぜん》とした。批判する前にどれだけ読んでくれたのか。比較検討できる文献などほかにないというのに。批判が勢いづくと、「フランス語になっていない」「訳注が不十分で読みづらい」などの感情的な非難、中傷も相次いだ。これが知識人だろうか。理性を掲げて世界に向き合おうという時代にこれほどの悪意にさらされようとは。謙虚さは誰にでもある徳性だと思っていたが、まったくの誤解だった。彼らは炎天下のインドで牛車の荷台に揺られたことはない。日除《ひよ》けも飲み水もなく、下痢と高熱で朦朧《もうろう》としながら。知らない言葉を得るために。

「俺たちにだって芽はあるってことだ」

「あたりめぇだ。どん底をはいまわってきたんだ。いつまでも辛抱していると思ったら大間違いだ」

酔った男たちが騒いでいた。通りの真ん中で火を焚《た》いている。辻《つじ》馬車や通行人は遠巻きにして過ぎていくが、不穏な気配に惹かれるのか立ち止まって様子をうかがう者もいる。

「あれだけ働いてたったの十七ソルだ。一リーヴルにもならねぇなんておかしいぜ」

「まったくだ。かかあとガキを食わせたら俺の酒代は残らねぇ」

最近よく見かける。石工《せっこう》や家具職人たちだ。赤い上衣を着たオルガン弾きも混ざっている。弟が言っていたように三部会が開かれてから世の中が落ち着かなくなった。くすぶっていた不満があちこちで噴き出し、不穏になっている。

エグモン夫人の所に行こう。あのサロンなら事情通がたくさんいるし、老いた図書館勤めの身でも受け入れてくれる。

オペラ座を過ぎると、天窓に明かりが映った屋敷が見えた。

若い守衛は新人らしく、こちらを見ても無愛想だった。

「デュペロンだ。伝えてくれればわかる」

ようやく執事が現れ、屋敷内に通された。外套と帽子は預けたが、革袋は持ったままだ。料理の匂いがする。何の肉だろう。

「先生。今までどうしてらしたの」

夫人の声に集まっていた客は話を止めてこちらを向いた。商人、弁護士、新聞記者、音楽教師に絵描きまでさまざまだ。

「いつものように中にいたよ」

「中って、図書館？　あまりお見えにならないから、またインドにでも行かれたのかと思っていましたわ。どなたかお席を」

常連ではデュペロンが一番年上だった。それで皆敬意を払ってくれる。本も何冊か出しているので、ここではからかい半分に先生と呼ばれる。

若い客が席を譲ってくれ、ソファに腰を下ろした時だった。

「さっそくですが、デュペロン先生のご意見をうかがいたいものです。あすについて。いや、あすとあさってのパリについて」

単純すぎる問いと大げさな身振りで笑いが起きた。弁護士だった。機転が利き、話題も上品なのでいつも話の中心にいる。

「言うまでもない。あすは晴れるし、あさっても晴れる」

「すばらしい。パリの未来は晴れ続きだ」

「これだけ降れば当たり前だろう。わたしにも質問させてくれ。あすとあさってについて。しかしパリじゃない。ヴェルサイユについてだ」

急に静かになった。三部会が開かれたのはヴェルサイユだからだ。先月、五月四日。歴史的な開催を前にノートルダム寺院からサン・ルイ教会まで行進があった。軍楽隊や騎馬隊に続いて黒の官服に身を包んだ第三身分の代表者、続いてきらびやかな衣装をまとった第二身分の貴族、肥満体が多い第一身分の僧侶の代表。最後は側近の重臣を従えた国王ルイ十六世と王妃アントワネット。見たわけではない。後で聞いた話だ。

「次のお料理ができました」

エグモン夫人が割って入り、給仕《きゅうじ》が歩き回った。深刻な話題に入る前の絶妙の間合いだった。

「兎《うさぎ》ですね」

「天上の音楽だ」

酔った連中がほおばりながら料理を誉《ほ》めた。デュペロンも皿に取り、口に運んだ。もう少しスパイスを入れてほしいが、煮込み加減はちょうどいい。別の給仕が暖炉側の大理石のテーブルに新たにワインとビールを追加したので酒好きな連中はそちらに移動した。

「さて、ヴェルサイユの前にあらためて論じなければならないことがある。第三身分とは何か、です。シャルトルの聖職者がパンフレットで提示するまでもなく、われわれにとっては長年の問いでした」

弁護士はグラスを手に再び演説を始めた。

「つまりです。今、この時に、これほど議論が高まっている時に、身分ごとの票決などという愚行は断じて認めてはならない。われわれはあくまで国民議会としてまとまることを目指すべきなんです。身分を超えて。いかがです。皆さん」

拍手が起こった。食べている者も飲んでいる者も、フォークとグラスを置いて手を叩《たた》いている。デュペロンも拍手した。自分たちの社会を自分たちで決められるようになったらすばらしい。

「でもルイがうんと言うかしら。国王にとっては味方を失うことですもの」

「国王の権限を残せばいい。議会の決定に対して拒否権を発動できるようにするとか」

「それはだめだ。議会の力が弱くなる」

「身分ごとに分かれた議会より、一歩前進です」

「問題は僧侶と貴族連中だ。奴らがどちらにつくかで流れが変わる」

誰がどの意見を言ったかわからなかった。議論は熱を帯び、あちこちで同時に声が上がった。世の中が大きく変わろうとしているのは間違いなかった。しかも自分たちにとっていいほうへ向かっているような気がする。

「国民議会の設立を！」

「国民議会だ！」

演説と酒と料理が入り乱れ、熱気はますます高まった。踊り出す者、拳を突き上げる者、抱き合う者。ここだけではない。パリのあちこちで今、同じようなサロンが開かれ、同じような熱気が渦巻いているはずだった。

「誰か一緒にヴェルサイユに行く者はいないか」

新聞記者が叫んだ。

「一部始終を見て記録するのだ」

「行くぞ」

「わたしもだ」

「自由のために」

乾杯と拍手が続いた。しかし興奮が増すにつれ、気持ちが冷めるのを感じた。主張に賛同したからといって行動を共にしようとは思わない。人それぞれ背負っている荷は違う。

「先生。ご気分でも？」

人垣を分けてエグモン夫人が気づかってくれた。

「少し疲れたようだ」

「今夜は特別ですわ。この熱気ですもの。お酒を飲まなくても酔ってしまいそう」

夫人は手にした扇を広げ、風を送ってくれた。香水の匂いがする。もとは貴族の家系で、ヴェルサイユ宮殿の近くにいくつもホテルを所有している。夫とは死別したという話だが、愛人を連れてアメリカに渡ってしまったというのが真相らしい。

「まさか連中とヴェルサイユまで行くつもりじゃないですよね」

「あら、どうして？　楽しそうじゃない」

笑って答えたが、行く気がないのはわかっている。淡い珊瑚《さんご》色のドレスに白金《はっきん》の耳飾り。集まった客の一人一人に声を掛け、遠くで目が合えば笑みを返す。そうした気配りの最中に影を感じる時がある。今がそうだった。一瞬、本人にしか聞こえない孤独の声が響くと、それに耳を貸してしまうように見えるのだ。思い違いではない。その証拠にこちらが気づいて観察していると、慌てて目を逸《そ》らし、ことさらほかの客の相手をすることがたびたびあった。ここへ来るのはそのためかもしれない。食事でも酒でも政治談義でもなく、夫人の孤独に触れたくて来ているような気がする。

夫人はいったん離れて弁護士たちと談笑した後、再び戻ってこう言った。

「ペルシャってどんな所ですの？　恐ろしくなくて？」

「わかりません。行ったことがありませんから」

「失礼。恥をかかせてしまいましたわ。インドに行かれたくらいですから、てっきり」

「ご関心がおありですか」

「ようやく拝見しましたの。先生のご本。難しい所ばかりでしたけど、印象に残っている言葉もありますわ。ゾロアスターが神に尋ねる場面です。何とかマズダとかいう」

「アフラ・マズダです」

「そう。そのマズダに太陽の動きや月の満ち欠けは誰が決めたのかと、ゾロアスターが尋ねます。そしてさらに訊くんです。『誰が昼と夜を決めて、背負う者に務めを思い起こさせるのか』と」

「よく覚えておいでで」

「だっておもしろいじゃございませんか。『務め』ですよ。大昔の人なのに」

「当時だって羊を飼ったり、粉を挽《ひ》いたり、生活のための仕事はありました」

「でも、わたくしがおもしろいと感じたのは、『思い起こさせる』って所なんです。太陽が昇ったからといって、ごろごろしてばかりで何もしない人だっていたはずでしょう。それなのにゾロアスターは日が昇ったら仕事をしなければいけないって思ってしまうんです。考えるとおかしくて。よほどまじめに背負っていらしたんですわ」

「背負わない奴らなら今もいるぞ。ヴェルサイユに」

先ほどの新聞記者だった。顔を赤くし、胸元のシャツのリボンは緩んでいる。

「背負うのはいつもわれわれだ」

「農民のほうが背負ってるぞ。いや、背負わされている」

別の男が割り込んだので夫人は優しく相槌《あいづち》を打った。けれどもその顔にはまたしても孤独の影が読み取れた。「言いたいのはそういうことじゃないんです。もっと別のことです」。そうだ。まだ話は終わっていない。

「エグモン夫人にお尋ねします。ゾロアスターが背負う者だという考えにはわたしも賛同します。では、何を背負っていたとお考えですか」

「村のお仕事か、自分の暮らしか」

「家族に決まってるぞ」

「夫人。いかがです?」

「やめておきます。間違っていたら恥ずかしいですもの。それより先生はどうお考えかしら。うかがいたいわ」

「うかがいたいわ」

別の酔客《すいきゃく》が口まねをしたので夫人が扇で叩くまねをした。酔客はそれが嬉しかったらしく、何度も「うかがいたいわ」と繰り返し、記者に追い立てられた。

「簡単なことです。この世のすべてですよ」

「何ですって？」

「この世のすべてと言ったんです」

「どういうことかしら」

「あのくだりでゾロアスターは自然界のもろもろのことについて尋ねています。天を創ったのは誰か。太陽と星の動きを決め、月の満ち欠けを定め、水と草木と乳牛をこの世に存在させたのは誰なのかと。つまりこれらもろもろについてゾロアスターは背負っていたんです」

「先生、訊くことが背負うことかい？」

戻ってきた酔客だった。

「もちろんだ。訊くのは問いとして背負っているからであって、そうでなければ疑問にすら思わない」

「実はわたくしもそう思いましたの。この世のすべてを背負ってしまう人って実際にいらっしゃいますから。ゾロアスターって方は、日が昇ると、真っ先にそうしたもろもろについて考えてしまう方だったんだって思いますわ。でも、やっぱりおかしくなります。だって大昔の人でしょう。まじめすぎて」

エグモン夫人は珍しく明るく笑った。気配りを忘れ、孤独の影も見当たらなかった。嬉しくなった。演説や政治談義とは別の言葉もある。話ができてよかった。

二

「船が難破した？」

「知らせが届きましてね。昨夜遅くに」

弟は王立図書館のロビーでうつむいた。天窓からの明かりだけなので昼間でも薄暗く、深《しん》紅《く》のダマスク織りの長椅子もくすんで見える。珍しく自分から訪ねて来た。

「被害はどれくらいだ」

「少なくても数百万」

「すべて海の底か」

「アレクサンドリアを出てすぐだったと。無理することはなかったんです。一日待てば晴れたのに」

「保険があるだろう」

「わずかなもんです。とても全額は」

相談されても力になれない。受け取った援助はとうに出版社に渡してしまったし、こちらの蓄えなど微々たるものだ。

「で、どうしろと？」

「別にこれといって」

「いいのか。来た甲斐がないだろう」

「かまいません。近くに来たから寄っただけです」

　羽ばたく音がした。鳩《はと》だ。天窓の脇に住み着いている。弟は天井を見上げてから溜息をつき、少し笑った。ほっとした。この前のことを詫《わ》びに来たのかもしれない。少し言い過ぎたと。

「部屋で話そう」

　断るかと思えば従った。弟の靴音が高く響く。踵《かかと》に硬い高級材を使っているらしい。

「軍隊はどうなった」

「集結したままです。パリとヴェルサイユで三万とか」

「国王は何を考えておいでなんだ。これでは不穏になるばかりだ」

「威圧したいんでしょう。議会を」

　注目された三部会では、先月六月、第三身分が自ら国民議会と名乗り、国王や特権身分にその承認を迫った。国王は当初、武力で議会を解散させようとしたが、貴族や僧侶の間に国民議会への同調者が現れたため、遂に譲歩し、特権身分にも国民議会に合流するよう勧告したのだった。そしてきのう、「憲法制定国民議会」が発足し、いよいよ新しい国の在り方を定める憲法の起草作業が始まった。

「何とかしてほしいもんだ。干ばつとはいえ、パンの値上がりはひどすぎる」

「何から何まで品薄ですよ」

「商売人は儲《もう》け時だな」

冗談で言ったつもりだが、弟は黙ってしまった。

数人の職員とすれ違った後、書庫を抜けて下に降りた。石の階段は高低差が小さく、歩きづらい。膝に負担がかかるのか、弟は早くも息を切らしている。

「あれ、地下かと思えば」

「裏側は土地が低いんだ。ここから出入りすれば一階になる」

弱々しい光が扉の列を照らしていた。ほかの研究官や司書の部屋だ。デュペロンは奥の角。風通しが悪く、湿気が本を傷めるからと、部屋替えを要求しているが、未だに聞き入れられていない。

鍵を開けると、弟は声を上げた。書物の数に圧倒されたのだ。天井まで伸びる書棚はぎっしりと本で埋まり、隙間には縦横斜めに小さな綴《と》じ物が押し込まれている。フランス語からラテン語がほとんどだが、金箔《きんぱく》を使ったアラビア語の大判もある。足元にも書物が積まれ、中には雨に打たれてゆがんでいるものもあった。窓側の机には読みかけの本と散乱した草稿の束。銀のナイフ。羽根ペンにインク壺。

「これしかないんだ」

扉の脇の肘掛け椅子から本を下ろし、弟に勧めた。

「年代物ですね」

「壊れはしないさ」

弟は恐る恐る腰を下ろし、「なかなか座り心地がいい」と身体を預けた瞬間、片方の肘掛けが落ちて音を立てた。

「叱られるぞ」

「誰に？」

「ルイに決まってるだろう。ここは王立だ」

「でしたら宮殿から玉座をもらえばいい。それだけの資格はあるでしょう」

弟は笑いながら首元のボタンをひとつ外した。

「お前だけだよ。そんなことを言ってくれるのは」

「評判になったじゃないですか」

ゾロアスター教の研究書のことを言っている。十八年も前だ。

「それより積み荷はどうなんだ。無事だったものもあるんじゃないのか」

「そう願ってますが」

「アレクサンドリアでは遠すぎるな」

「だからますます不可解に」

「どういうことだ」

「前にも一度あったんです。父から引き継いだばかりの頃です。その時は難破と信じてあきらめました」

「だまされたのか」

「嘘と知ったのはだいぶ経ってからです。荷主には難破したと告げて積み荷をすべて盗み取る。何度も取引をしている現地から言われると信じてしまう。だいたい三年目くらいが危ないんです。向こうもはじめは信用させておいて大きな取引になるとこの手を使いますから」

「今回も嘘だと？」

「断定はできませんが、どうしようもありません。商いに危険はつきものですし。だいいち本当かどうか調べようがない」

　猫の鳴き声がした。隣の上級司書が可愛がっているので腹が減ると現れる。嫌いではないが、小便となるとこちらの隅でするので臭くてたまらない。苦情を言ったことがあるが、「猫に頼んでくれ」と無理を言われた。

「わたしが行こうか」

「兄さんが？　どこにです」

「アレクサンドリアだ」

「何のために」

「調査に決まっているだろう。アラビア語なら何とかなる」

　弟は信じられないという顔でこちらを見ている。自分でも不思議だったが、ただの思いつきでもなかった。アレクサンドリアと聞いた時に心が動いていた。かつて世界最大の図書館があった都市だからだ。紀元前三世紀頃、プトレマイオス一世が建設し、エジプト、ギリシャは言うに及ばず、中国やインド、ペルシャなどからも医学、地理学、数学、天文学などあらゆる分野の文献が集められ、研究が続けられたという。相次ぐ火災やキリスト教徒の攻撃で破壊されたと言われるが、是非その地に立ってみたい。取引の調査を兼ねてなら旅費も出してもらえるだろうし、うまくすれば商売の役に立てる。

「ここの仕事はどうするんです。実際に行くとなると数カ月はかかる」

「何とかなるだろう。もう老いぼれだ」

そうだった。気づいていたが、認めるのが恐かった。認めてしまえば、人生の晩年に入ることを受け止めなければならない。いつまでもここにいるより、体力が残っているうちに旅をしたい。

「まったく。兄さんには」

「何だ」

「驚かされるってことですよ。何歳になっても。こちらはいつも尻ぬぐいです」

「人聞きが悪いぞ。苦労はさせているかもしれないが、迷惑はかけていない」

「同じことです。いつだって思い通りに進み、好きなことは手放さない」

「その分、辛酸《しんさん》もなめてきた」

「わかってます。責めているんじゃない。羨《うらや》んでいるんです」

「貧しい独り身をか？　世間的な幸福は何一つ手にしていないんだぞ」

「それは欲ばりでしょう」

「お前は幸せだ。家族はいるし、金もある」

弟は足元に視線を落とし、靴の汚れを眺めた。高価な革で、足首の上まで高くなっている。最近の流行だ。女性用のデザインが男にも及んでいる。

「こうしましょう。証拠をつかんで商品の一部でも取り戻せたら、その五分の一を報酬として支払います」

「いや、旅費だけで十分だ」


久しぶりに気分が高揚していた。旅に出るのは何年ぶりだろう。

翌朝、ベッドから起きると、鬚を剃り、湯を沸かしてコーヒーを淹《い》れた。残りのパンとハム、足りなかったのでチョコレート菓子もほおばった。エグモン夫人がア・ラ・メール・ド・ファミーユで買ったものだ。「またインドにでも行かれたのかと」。夫人の言葉が思い浮かぶ。今度は本当に旅に出る。アレクサンドリア。マルセイユから船だ。風がよければ十日もかからないだろう。オスマン帝国の支配下だが、各地から商人が集まっているので活気があるはずだ。

夫人と一緒に行ければ、と考えて慌てて打ち消す。「はい」と言うはずがない。人気のサロンを閉めてまで老いぼれ司書に付き合うものか。自分は来訪者の一人にすぎない。何とも思っていないだろう。貧しく、本にかじりついてばかりいる男のどこに魅力があるというのか。

　トランクを引きずり出し、開けてみる。内側に黴《かび》が生え、ベルトの金具も錆《さ》びている。とても使えそうにない。今回は必要ないかもしれない。文献を仕入れるのではなく、難破の事実を調べに行くのだ。

　図書館に向かう途中で群衆とぶつかった。財務長官のネッケルが罷免《ひめん》されたという。財政立て直しのために国王から就任を要請されたはずだった。貴族ではなく、第三身分の銀行家なので人気があった。群衆は口々に王宮を罵《ののし》っている。質素倹約を勧めるので王妃アントワネットに嫌われたらしい。

「武器がいる」

「その前にパンだ」

　あちこちで人の輪ができ、まっすぐ歩けない。議会に任せるだけでは満足できず、今にも何か始めそうだった。危険を感じて引き返そうとした時、取り囲まれた。

「あんたはどう思うんだ。王立図書館ってのはいい給料なんだろう」

「国王から金をもらうなんざ俺たちとは身分が違う」

　酒臭い。手には黒光りする棒を持っている。どこかの職人らしい。そうだ。エグモン夫人のサロンで何度か見た記憶がある。

「通してくれ。仕事があるんだ」

「だからどう思うかって訊いてるんだよ」

「何についてだ」

「いろいろよ。金と女とパンと火薬と」

「火薬？」

「そうだ。焼いちまうのさ。王宮を。パリだって焼いちまえ」

罵声《ばせい》と悲鳴が聞こえた。騎馬隊だ。群衆を蹴散らし、「仕事に戻れ」と叫んでいる。

「邪魔するな」

「道は俺たちのもんだ」

小競《こぜ》り合いが起きた隙に裏道に逃げた。しかしセーヌ川に向かう通りに出ると、どこも騒然とし、通り抜けるのは難しかった。誰かが演説を始めればほかでもすぐに演説が始まり、帽子を天に突きつける。喚《わめ》けば喚くほど言葉は激しくなり、すべてが憎悪の対象になる。皆仕事どころではない。興奮を味わおうと次から次へ集まってくる。前掛けをした洗濯女。煙突掃除の子ども。杖を手にした老婆と痩せた犬。

エグモン夫人に会いたくなった。図書館では落ち着けない。

ようやくロワイヤル橋まで進んで川を渡り、門前に立った時には背中が汗で濡れていた。

「どうなるのかしら」

「王宮は愚かです。騎馬隊なんか出したらますます反発する」

「みんな議会の決定を待てなくなっているんですわ。苦しい暮らしには慣れていたはずですのに」

「これまでがひどすぎたってことでしょう」

汗が引き、気持ちが落ち着いてきた。夫人は青いドレスに紺のリボンで髪を結っている。耳飾りは水晶だ。

「先生もお仕事どころではありませんのね」

給仕がお茶を配るのを待って夫人が言った。それで気づいた。きょうはサロンの開催日ではない。夫人が商用でヴェルサイユのホテルに出かけていたらどうするつもりだったのだろう。勝手に会えると思い込んでいた。

「実はしばらくパリを離れることになりました。それでご挨拶に」

「まあ。どちらへ？」

「アレクサンドリアです」

白い手に持ったカップが胸の前で止まった。口元へは運ばず、指輪を光らせてゆっくりとテーブルに戻っていく。

「今度は何をお調べかしら」

「船ですよ。難破したのかどうかと」

「聖書の頃のお話？」

「いえ、先月のことです」

事情を説明すると、夫人は不思議そうな顔をした。似つかわしくないと思ったようだ。弟が商会を経営していることも初めて知ったらしい。

「あちらの方々はなかなか話が通じませんでしょう。何でもお金で、平気で嘘をつくという噂ですもの」

「承知の上です。今さら商品を取り戻せるとは思っていません。賠償金を取るつもりです。オスマンの役人に訴えると脅せば連中も応じるでしょう。まさかパリから出てくるとは思っていないはずですから」

「勇ましいんですのね」

初めての言葉に年甲斐もなく照れた。交渉ごとや駆け引きは慣れている。インドで身につけた。夫人には新鮮だったのだろう。

「たとえ空振りに終わっても、アレクサンドリアの土地を踏めれば満足です。向こうで倒れたってかまわない」

「いやですわ。そのような言い方は。悪魔を喜ばせるだけです」

「気がついたんです。役立たずの老いぼれだってことに。せめて生きているうちに知らない土地を歩きたい」

騒ぎが聞こえた。騎馬隊と民衆の小競り合いが広がっているらしい。

窓辺に立つと、遠くに煙が上がっていた。どちらの方角だろう。右手がサン・トノレ街だからサン・ドニ通りの北になる。燃え始めたばかりらしく、煙はどす黒い。

「誰かが火を放ったのかもしれない」

「燃えていますの？」

夫人も窓辺に立ち、同じ方角を眺めた。背が高い上に踵のある靴を履いているので顔が横にくる。香水の匂いがし、夫人が動くと、巻き毛が頰に触れそうになる。

「サン・ラザール修道院の辺りですわ」

「恐れ知らずもいいところだ。修道院には何の罪もないだろうに」

「修道院かどうかはわかりません。近くというだけで」

そうだった。夫人が隣にいるので混乱した。

「行ってみたいわ」

「危険すぎます」

「アレクサンドリアです」

夫人は衣擦《きぬず》れの音を残して窓を離れ、壁際の鏡の前に立った。スカートの腰回りは上品に膨らみ、後ろ姿のまま髪の乱れを直している。

「それでも危険がないわけではありません」

「そうですわね」

素《そ》っ気《け》ない声だった。臆病者。せっかくの機会を逃してしまう。

「いえ、旅に困難はつきものだと言いたかっただけです」

「存じております」

夫人はこちらを向き、首を傾《かし》げて微笑んだ。ほっとした。自分も慌てて笑ってみせる。外では罵声が飛び交い、閉め忘れた窓から風に乗って入ってくる。

「船旅になりますが、大丈夫ですか」

「何事も経験ですわ」

「サロンはどうなさるおつもりです」

「閉鎖します」

夫人は再び腰を下ろし、先を続けた。

「実は恐くなっておりましたの。いろいろな方がお見えになってそれぞれご意見をお話しになる。それはそれで活気があって魅力的なことです。けれどもこのところのパリを見ていると恐ろしさが募ってきますの。日に日に暴力的になり、激しさを競い合っているとしか思えませんもの。ホテルとここの管理は人に任せれば済むことです」

言いたいことは察しがつく。先月、六月三十日だ。民衆がアベイ監獄を襲撃して国王の命令に反抗した衛兵十人を解放したのだ。国民議会に圧力を加えるために召集がかかったが、応じなかった兵たちだ。民衆にとっては議会を守る味方である。だからといって監獄に押しかけ、奪還してしまうとはこれまででは考えられない。

「きょうは歴史的な日です」

「騒ぎはまだ続きますわ」

「ご一緒してくださるからですよ。アレクサンドリアへ」

夫人は恥ずかしそうに顔を伏せたが、すぐに続けた。

「生きているうちに知らない土地を歩きたいだけです。先生と同じように」

「ありがとう」

「どうしてお礼など？」

「嬉しいんですよ。一人で行くより楽しいに決まっている。これまではどこへ行くにも一人でしたから」

「アフリカ大陸に渡るなんて考えたこともありませんわ。思っただけでわくわくします」

「準備が整ったら、あらためてうかがいます」

「お待ちしております。それと念のためですが、出発まではくれぐれも内密に」

「そのつもりです」


騒乱はさらに激しくなった。入市税《にゅうし》の取立所が焼き討ちされたという。パリの城門に沿って設置された五十数カ所のうち、ほとんどが焼けたらしい。火を放ったのは「群衆」としか伝わってこない。誰かが指揮したのか、それとも興奮にまかせて放火したのか。

七月十四日朝。旅費だけでも早めに受け取ろうと、弟の屋敷に向かった時である。群衆の行進に巻き込まれた。

「武器を奪え」

「アンヴァリッドだ」

漫然と練り歩いているのではない。街区ごとに結成されたコミューンの指導者が旗を振っている。

「爺《じい》さんも一緒だ」

見知らぬ男たちに袖をつかまれ、気がつけば群衆のただ中を歩いていた。アンヴァリッドとは廃兵院《はいへいいん》のことだ。百年以上前にルイ十四世が傷病兵を収容するために建設した。

「何をするつもりなんだね」

「戦いが始まるのさ。好きでするんじゃない。向こうからやって来る」

「向こう？」

「軍隊だ。国王が攻撃しろって命令したんだ」

「誰を」

「俺たちに決まってんだろう。俺たちみんなを殺しに来るんだ」

わからない。誰がどこで何を企んでいるのか、どのような組織が結成されて何を目指しているのか。だが、国王が鎮圧しようとするのは肯ける。ルイにとってはパリ中が反乱を起こしているとしか見えないからだ。

サン・ジェルマン市場を過ぎ、セーヴル街を抜け、さらに西に向かう。進むにつれ、そろいの上衣を着た集団が増えてくる。青地で袖口だけ赤く、細い白のズボンをはいている。新しく結成された市民軍という。

全体の動きが止まった。足が疲れ、人混みから離れて石段に座る。

「廃兵院に武器があるとは知らなかったぜ」

「だから来たんだろう。俺たちの代表が敵と交渉中さ」

「廃兵院も敵なのかい？」

「わかってねぇな。これまであったものはすべて敵なんだよ」

周囲の連中はおよそのことしか知らされていない。それでも行動を共にしているのは世の中に対して同じような憤懣《ふんまん》を抱いているからだ。まさか本気で王の軍隊と戦うつもりだろうか。

「遅《お》せぇな」

「交渉なんぞしねぇで、かっぱらえばいいんだ」

遠くで太鼓が鳴り、一斉に前に動いた。すぐに駆け足になる。目の前をわれもわれもと走り過ぎる。歓声と土埃《つちぼこり》。女たちも遠巻きに眺め、声援を送っている。

静かになったのも束の間、今度は人の流れが逆になった。やって来たのは軍団だった。手に手に武器を持って列を組んでいる。先頭を少年の太鼓隊が進み、続いて馬が大砲を引いている。一門、二門、三門……十門はある。その後ろは槍や銃を担いだ市民兵と囃《はや》し立てる子どもたち。来た時より整然とし、目標に向かって進んでいる。

隊列から声がするが、怒鳴っているので聞き取れない。

しかし野次馬や女たちは呼応している。

「バスチーユへ」

「バスチーユだ」

たしかにそう言っている。次はバスチーユ要塞を襲うつもりだ。武器と火薬を奪うのだろう。いや政治犯の奪還かもしれない。アベイ監獄と同様、王政に反逆したがゆえに監禁された仲間を救い出すのだ。

老いの身を忘れて自分まで興奮していた。これから何が起きるのだろう。思った時には立ち上がって歩いていた。弟の所は後でいい。

ノートルダム大聖堂が見える。高々とした尖塔《せんとう》が不穏な空に突き刺さっている。聖堂の屋根には怪物の石像があると聞く。頭に角を生やし、背中には翼を持った怪物がパリの街を見下ろしているという。悪魔除けの怪物にもこの群衆は異様だろう。「これまであったものはすべて敵だ」と誰かが言った。考えてみれば恐ろしい。王宮も銀行も工場も橋もすべてが敵。判事も司祭も父母もすべてが敵。あらゆる過去と伝統のすべてが敵。

「言葉は？」と考えて立ち止まった。言葉は過去と切り離せない。今も生きている。彼らは言葉も敵に回すのだろうか。これまで使われてきた言葉。百年、千年と受け継がれてきた言葉。それさえ敵と見なすのだろうか。言葉を敵にするということは知恵を敵にするということだ。

群衆は進んでいた。銃や槍を持った別の兵団も合流し、バスチーユへと進んでいく。

「ぼんやり立ってるんじゃねぇ」

野次馬の男がわざとぶつかってきた。背中を小突かれ、よろけて手を突く。その後ろから別の男がぶつかり、立ち上がろうとして今度は肩に当たられる。

「邪魔だ」

「どけどけ」

土埃が目に入り、開けていられない。尻や腰を蹴られ、痛みが走る。怪物だ。これは怪物の仕業だ。ノートルダムの屋根からパリを見下ろしているのではない。操っているのだ。

立ち上がれない。

笑い声に続いて車輪の音。ひき殺される。

「先生。お乗りになって」

エグモン夫人だった。四頭立ての馬車の窓から身を乗り出している。扉も屋根も銀で豪華に飾られ、馭者《ぎょしゃ》も二人乗っている。その一人が台座から降り、身体を起こしてくれた。

「どうぞ、中へ」

群衆は突然現れた馬車を避けるように二手に割れて過ぎていく。

身を屈めて乗り込むと、夫人が大きな目でこちらを見ていた。

「危ないところでしたわ。まさか先生とは」

「助かりました。ぶざまなところを」

言い終わらないうちに馬車が動いたのでよろけ、誰かの足を踏んだ。反対側にも人がいた。巻き毛の鬘に刺繍入りの上衣とリボンのシャツ。鼻筋の通った端整な顔。メルボワだ。弟の義父。自分を嫌っているという銀行家。それがどうしてこの馬車に。しかも夫人と一緒に。

「手荒な挨拶だな。デュペロン君」

「これは失礼」

足を踏んだことを詫び、どちらに座るか迷っていると、再び馬車が揺れ、夫人の隣に腰を落としてしまった。

「不作法だぞ」

険しい目で睨まれ、慌てて腰を浮かそうとしたが、メルボワの隣には座りたくなかったので居座ることにした。


馬車は夫人の屋敷で停まり、夫人が降りた。送り届けたのだ。一緒に降りようと思ったが、誤解を招くので動かなかった。どういう間柄なのだろう。

「王立図書館まで送らせよう」

「いえ、すぐそこまでで。自分で歩けます」

「ずいぶんやられてたじゃないか。痛むだろう」

馬車が動き出した。息が臭《にお》い、顔を背けた。

「きょうは何が起きるかわからないぞ。いよいよ始まるのだ。どうかね。遠い国の過去をほじくるのもいいが、たまにはこの国の現実を見てみては」

「見ているつもりです。わたしなりに」

メルボワは不機嫌そうに腕を組み、柔らかな椅子に背中を預けた。口をへの字に曲げ、窓越しに群衆を眺めている。けれどもすぐに飽きたらしく、こちらを向いた。

「君の弟は勤勉だ。しかしそれだけでは商いは成功しない」

「家業のことは弟に任せています。ご存じのはずです」

「だからといって兄としての責任は皆無ではないだろう。娘を嫁がせたのだ。成功してもらわなくてはならん」

「何をおっしゃりたいんです。わたしにはわたしの生き方があるし、弟は弟で必死にやっている。あなたに嫌われないように」

「嫌う？　息子を嫌ってどうする。娘が板挟みになるだけだ」

「降ります。停めてください」

「付き合いたまえ。ご馳走しよう。さっきも言ったが、きょうのパリは危険だ。身内から死人を出したくない」

　怪物だ。屋根にいればいいものを、舞い降りて銀行家に取り憑《つ》いている。

　馬車は速度を増し、オペラ座を東に進んだ。高等法院や会計院の役人たちが住む閑静な区域だ。群衆の姿はなく、街路樹の青葉が風に揺れている。

　門が開き、噴水を回って車寄せに着く。初めて来た。エグモン邸も豪華だが、ここはさらに贅沢だ。建物は玄関を中心に左右対称に設計され、それぞれのバルコニーには天使や女神、果物などの彫刻が施され、花が溢《あふ》れていた。

　通された部屋も華やかだった。高い天井には空と森と泉の絵が優雅な筆で描かれ、大型のボヘミアガラスのシャンデリアが均等に四つ吊り下げられていた。壁と窓枠は金細工で縁取られ、右手にはイタリア産らしい緑の大理石の暖炉、床は黒い石とオーク材を組み合わせた凝った造りになっている。

「君は幸せかね？　デュペロン君」

「少なくとも後悔はしていません」

「すばらしい。見習いたいものだ」

勧められて中央のテーブルにつき、腰を下ろす。椅子の座り心地は硬めだが、背もたれの曲線が腰に合う。メルボワは薔薇《ばら》を象った銀の小箱を開け、嗅ぎ煙草をつまんで鼻から吸い込んだ。何度か鼻を鳴らした後、指先で根元を押さえ、固く目を閉じてからこちらを見た。

「君の功績は聞いている。何とかという古い宗教を研究して本にした。結構なことだ。しかしそれでどうなった。何かが変わったのか」

「何かとは」

「君の人生でいいことがあったのかということだ」

外を見る。白い光が大きな縦長の窓から入り、床を物憂く照らしている。その向こうでは騒ぎが続き、悲鳴と歓声が飛び交っているはずである。ここは外界と隔絶した静寂の場だ。財力の館が王立図書館と同じ静寂に包まれているとは何という皮肉だろう。「いいことがあったのか」。当たり前ではないか。長年の努力が実ったのだ。この男には想像もつかないだろう。しかし素直に答えるには抵抗があった。おそらくそれは予想された答えで、次に新たな問いを準備しているはずだからだ。

「どうして答えないのだね。名声を得た。著作が売れた。いいことばかりだろう」

「ご存じなら訊くまでもないでしょう」

「羨ましいのだ。情熱のままにインドに渡り、研究に打ち込んできた君がな。どうしてそのようなことに関心を持てるのか。関心を持ったからといって、どうしてそのまま突き進めるのか。前から知りたいと思っていた」

「そういう人間だというだけです」

　メルボワの顔は穏やかだった。嘘ではないのだろう。弟からも言われた。羨ましいと。しかしひとつの敗北は別の勝利で克服できる。メルボワはそう気づいたようにいくらか声を張った。

「今度はわたしの幸福を話そう。言うまでもない。金《かね》だ。この世を支配できる。だから手に入れたい。少しでも多く。どうだね。軽蔑するかね」

「人それぞれです」

　答えて脚を組み直した。座り心地はいいが、居心地が悪い。

「よろしい。だが、金を軽蔑できる奴は一人もおらん。必要だからだ。戦争だって金がなくてはできないだろう。銃も大砲もいるし、兵士の日当もいる。金はこの世の現実を動かす最強の武器ということだ」

　退屈な話だった。銀行家らしい。

「さあ、反論したまえ。違うと思っているはずだ」

「退屈な反論しかできません」と言った後で、「退屈な話だからです」と加えようとしたが、弟の立場を考えて踏みとどまった。

メルボワは再び嗅ぎ煙草を吸い込み、先ほどと同じように鼻の根元を押さえて目を閉じ、頭を振った。効いているらしい。固く閉じすぎたせいか、開けた目は少し涙ぐみ、顔も赤らんでいる。年は十余り上だ。堂々としているのは経験の量が違うからだろう。いくら俗物と見下したところで貫禄は認めざるを得ない。

「どうだね」

目が光った。退屈な反論では負けになる。

「おっしゃるように金は武器かもしれません。しかしどこまでいっても金は金です。金自体は価値ではない。何かをするためにあるべきです。いみじくも武器と言われたように、つまりは道具にすぎません」

「この世を動かすための金なら道具でもかまわないだろう。金自体は価値でなくても、この世を動かすことが価値になる」

「どこに向けて動かすのです」

「自由に向けてだ」

力のある声だった。「自由に向けてこの世を動かす」。本気だろうか。そうだとすれば、すばらしい。

「デュペロン君。ルソーは読んでいるだろう。覚えている言葉がひとつある。『下劣な人間は偉大な人物の存在を信じない。卑しい奴隷は自由という言葉を聞いてもせせら笑う』。意味するところはわかるだろう。本当の自由というものがいかに理解されにくいか。しかし自由な世になって初めて金が金を生むのだ」

わかったようでわからない。話していたのは価値についてだ。

「自由は金のためですか」

「当たり前だ」

「それでは自由のための金であり、金のための自由ということになる。自分の尾を嚙もうとして回り続ける犬みたいです。徒労の果てに倒れるか、倒れずに回り続けるか」

「金のない者ほどそう言いたがる」

「金はなくても知恵はあります」

「知恵はどこからくる」

「言葉です」

遠くで低い音がした。何かが爆発したような不気味な響きだ。風に乗ってここまで聞こえる。

「デュペロン君。長い間、夢の中で暮らしていると頭がゆがんでしまうらしいな。知恵だの、価値だのと言ったところで目には見えず、手で触れることはできないだろう。そのようなものの存在を認めることはできん。神だの天使だのと同じことだ」

再び轟音《ごうおん》。砲撃だ。

「始まったな。あれこそ現実だ。違うかね」

「あれも現実というにすぎません」

「では、もうひとつ別の現実の話をしよう。アレクサンドリアへは一人で行きたまえ」

どうして知っているのだ。弟が告げたのか。いや、自分が行くことは承知していても夫人のことは話していない。では、エグモン夫人が？　内密にと言ったのは夫人のほうだ。

「今パリを離れると、二度と戻れなくなる恐れがある。行かせるわけにはいかんのだ」

二人はどういう関係なのだろう。銀行家とホテル経営者。金を貸す側と借りる側。それとも愛人同士なのだろうか。夫人は知らない土地を歩きたいと言った。自分とではなく、メルボワと一緒にという意味だったのかもしれない。

「いずれにせよ行くつもりです」

「好きにすればいい」

年甲斐もない胸の高まりを後悔した。嬉しい時こそ警戒が必要だという教訓を忘れていた。

「バスチーユを襲撃するなど誰も想像できなかっただろう。しかし現実に起こる。起こそうとする人間が集まり、準備をすれば起こりうるのだ」

知っていたらしい。市の参事会やコミューンとの交流で事前に聞いていたのだ。いや、密かに資金を援助しているのかもしれない。市民兵の軍服も誰かが買い与えなければそろわない。メルボワは背後でかかわっているのだ。金を武器に。

「話はまだある。アンクティル商会だ。なかなかうまくいっている。取扱高も伸びている。

しかし利益はそれほどではない。まじめすぎるのだ。仕入れが高いくせに安く売っては金にならない。それでは困る。もっと稼いでくれなければな」

「ですから、商いのことは弟に。そろそろ失礼します」

「食事ができるぞ」

「旅の準備をしなければなりません」

「たいした度胸だ」


アパルトマンの階段は暗く、目を凝らさないと足を踏み外しそうだった。混乱で蠟燭《ろうそく》が品薄になり、管理人も騒ぎを見に出たまま帰らない。

長い一日だった。部屋に入り、椅子にもたれる。足元には古いトランク。見上げると、天井に染みが広がっていた。上の女がまた風呂に入ったらしい。

暗澹《あんたん》とした気分だった。はじめは一人で行くつもりだった。難破の調査と、何よりアレクサンドリアの地を踏むこと。それが夫人との二人旅に変わり、また一人に戻った。考えても仕方がない。何度も味わってきたことではないか。華やかな衣装で近づきながらも、こちらが手を差しのべると身を翻して行ってしまう。女とはそうしたものだ。

遠くで喚き声がする。逃げていたバスチーユの警固兵が見つかり、殴られているのだろう。帰りの混乱の中で市役所に差しかかった時だった。グレーヴ広場で群衆の歓声と市民兵の雄叫びが響いていた。巻き込まれないうちに通り抜けようと人混みをかき分けていると、二つの丸い塊が宙で踊っているのが見えた。キャベツのようだった。すぐに正体がわかった。首が槍の先に掲げられていたのだ。ひらひらしていたのは髪と肉で、殺されたのはバスチーユ要塞のド・ローネ司令官とパリのフレッセル市長だと誰かが言った。吐きそうになった。なぜ二人が殺されなければならなかったのか知らないが、生首を掲げて勝ち鬨《どき》をあげるとはフランス人はいつから蛮族に成り下がったのだろう。

アレクサンドリア。地中海に面した交易と学問の都市。プトレマイオス時代の遺跡は海中に沈み、当時を知る手がかりはほとんどないという。しかし惹かれる。エルサレムから七十二人の学者が訪れ、図書館に収蔵するため聖書をヘブライ語からギリシャ語に翻訳した話は有名だ。それればかりではない。ギリシャの学者ヘルミッポスが記したゾロアスター教に関する文献もあったと伝えられている。二千年も前に自分と同じことに関心を抱き、人生を費やした人間がいたのだ。

立ち上がり、トランクを手に取った。持っていこう。せっかく行くのだ。珍しい文献が手に入るかもしれない。若い日の戦友が一緒なら一人旅でもかまわない。

蓋を開け、底に張り付いていた中蓋を開くと汚れた革袋が現れた。この前は気づかなかった。黴が生え、紐《ひも》の結び目も固くなっている。

ようやく解き、中身を取り出して驚いた。写本だった。忘れていた。ヒンドゥー教の聖典のひとつで古代インドの思想書とも言われる「ウパニシャッド」のペルシャ語訳。十四、五年も前になる。ゾロアスター本の反響が一段落し、次の研究に向かっていた頃、ある銀行家から手渡された。親しいわけではなく、名前さえ思い出せないが、年末だったことは覚えている。「ペルシャを旅行中に手に入れ、『智慧の書』として保管していたが、老いたので人に譲ることにした」という。「古物商の手に渡ると、値段ばかり吊り上がり、研究者の手には届かない。『智慧の書』は広く読まれてこそ意味がある」とも言っていた。同じ銀行家でもメルボワとは大違いだ。

サンスクリット語からペルシャ語に翻訳したのは、ムガル帝国の皇子《みこ》と彼が集めた学者たちだ。イスラムからみればヒンドゥーは異教であり、異教への関心はアッラーに対する裏切りである。それで皇子は弟によって処刑されたと伝えられている。

一度、翻訳しようとして挫折した。原義にふさわしいフランス語を見つけるのが困難だった。それ以来、トランクに入れたままにしておいた。旅に出る前に王立図書館に寄付しよう。若い研究者が受け継いでくれる。

革袋に戻して汚れを払い、書棚に置いた時だった。扉をノックする音が聞こえた。上の女が詫びに来たのだろう。

面倒なので無視していたが、まだノックしている。

「あとにしてもらえないか。取り込み中なんだ」

考えごとを邪魔されるのが嫌で怒鳴ると、「お手紙です」と男の声がした。メルボワからかもしれない。

溜息をついて扉を開けると、身なりのいい若者が立っていた。

「デュペロンさまにと」

署名はエグモン夫人。さきほどの落胆が嘘のように舞い上がった。向こうも気にしていたのだ。使者に礼を言い、階段まで見送ってからあらためて手紙を見回した。手触りのいい薄茶の紙に羽根ペンの可憐《かれん》な動き。裏は赤い蠟で封がされ、葡萄《ぶどう》柄の紋章が押されている。手紙をもらったのは初めてだ。そう思うと、封蠟《ふうろう》を壊すのがもったいなく、ナイフを上の隙間に差し込んだ。

「親愛なるアンクティル・デュペロンさま
先ほどは失礼いたしました。お怪我はいかがでしょうか。大事に至らなければとお祈りしております。でも驚きました。わたくしが乗った馬車が、まさか先生のお役に立てるとは思ってもおりませんでしたから。もちろん馬車の持ち主はメルボワ伯です。あの道を選んだのもメルボワ伯です。けれども偶然ではない気がしておりますの。運命と言うと大げさですが、神のご加護がなければ先生をお助けできなかったことは確かでしょうから。

驚いたことはもうひとつあります。メルボワ伯が先生の弟さんの義父に当たられるとは。パリでも有数の銀行家が後ろ盾なら、お仕事もさぞ安泰だろうと羨ましくなります。お手紙を差し上げるのはほかでもありません。メルボワ伯のことです。このようなことをお伝えすべきかどうか迷いましたが、思い違いをなさってはお気の毒です。それでペンを取りました」

いったん目を離した。心臓が高鳴っている。この先に重要なことが書かれている。立ったままでは落ち着かない。蠟燭の下でじっくり読んだほうがいい。だいいちメルボワが伯爵を名乗っているとは知らなかった。いつの間に買ったのだろう。官職を買えば爵位を得て法服貴族の一員となり、宮殿や議会に顔が利く。

火をもうひとつ灯し、椅子を引いて腰を下ろす。

「ヴェルサイユでホテルを経営しているのはご存じの通りです。もともと夫が所有していたものを受け継いでおります。当初は六つありましたが、いろいろと事情があり、今は三つだけです。それでも維持していくのはたいへんです。手間も使用人も修理代も必要ですから。かつてのように王宮が華やぎ、お仕えの者たちで賑《にぎ》わっていた頃はホテルはいつも満員でした。お仕えの身でありながら、宮殿の部屋を割り当ててもらえない人たちがたくさんいてホテルを利用してくれたのです。けれども最近では王宮の人気は衰えるばかりで、泊まってくださる方も減っています。それでいろいろと相談に乗っていただいているのです。メルボワ伯とはそれだけの関係です。くれぐれも誤解なさいませんように。それではまたお目にかかりましょう」

慌ただしい手紙だった。いよいよ見せ場かと思えば、そこで幕切れとなった芝居のようだ。届けてくれたことには感謝するが、これだけではアレクサンドリアに行くのかどうかはっきりしない。わざと触れていないのだろうか。メルボワに止められていることを悟られたくないのかもしれない。

手紙を机に置き、溜息をついた。落ち着こう。夫人のことはどうでもいいではないか。この年になって頭を悩ませることではないだろう。

遠くで歓声と爆発音。夜になっても混乱が続いている。あすはさらにひどくなるかもしれない。いたる所を市民兵が走り、街を守るために城門が閉じられる。道も塞がれ、駅馬車は通じない。どうやってパリを出るのだ。マルセイユまで行き、船に乗らなければ話にならない。ようやく事の重大さに気づいた。メルボワの言うように夢の中で暮らしていると頭がゆがんでしまうらしい。これからどうなるのだろう。混乱がフランス全土に広がればアレクサンドリアどころではない。

三　一七九三年

明け方から冷え込み、朝になっても一月の重たい雲が垂れ込めていた。風邪が治らない。熱は下がったが、咳が出る。毛布がもう一枚ほしい。冷えた足先を縮めて丸くなる。

臭いがした。下からだ。上は空き家になったが、下に外国人が越してきた。アラブ人のようだが、どこの国かわからない。揚げ物、焼き物、炒め物。油の臭いがここまで上がってくる。部屋では調理できない決まりだが、一日中何かを作っている。路上で売っているのだろう。

引っ越したほうがいいかもしれない。王政の廃止とともに王立図書館が閉鎖され、古い職員は解雇された。わずかな年金と代書屋の収入で暮らすには家賃が高い。

何もかも変わった。バスチーユ襲撃の後、封建制度が廃止され、農民は貴族の館を襲い、貴族は国外に逃亡した。議会では人権宣言が採択され、「人は生まれながらにして自由である」ことが確認された。国王一家も逃げようとして捕らえられ、パリに連れ戻された。憲法が制定されて立憲王政に移ったが、なお外国と通じようとする国王にパリ中が激怒し、去年九月、王政が廃止され、共和政の樹立が宣言された。国王一家はタンプル塔に幽閉されている。

引っ越すとすればどこがいいのだろう。安ければ貧民街でもかまわない。となると、フォブール・サン・タントワーヌか。セーヌ川の向こう。壁紙を作るレヴェイヨン工場があり、労働者や食い詰めた農民が流れ込んでいるという。

油の臭いが消えたので身体を起こす。部屋を探しに行こう。食事はいつものカフェでいい。ベッドから降り、空いた酒瓶や服が散乱する床を進む。片付ける気は失せている。

階段を下りると、ちょうど母娘《おやこ》と出くわした。手には湯気の立つ鍋を提げている。うまそうな匂いに腹が鳴り、見つめていると、娘が布の包みをくれた。温かい。

「ありがたいが、わたしに食べられるかね」

娘は笑顔で肯いたが、母親は嫌そうな顔をした。売り物をただでやることはないと言いたげだ。額と目尻には皺が刻まれ、これまでの苦労が滲んでいる。服は大きな布を巻いただけの簡素なもので、暗い色のスカーフをかぶっている。

二人が下りた後で恐る恐る鼻を近づけた。匂いはいい。煮込んだ肉がパンのようなものにくるまれている。固いパンに慣れていると奇妙な感じがするが、別の食べ物だと思えば結構いける。

外は風が冷たく、外套の襟を立てても首元が寒い。

セーヌを越え、レヴェイヨン工場の近くに来ると、通りで男たちがカード遊びをしていた。まだ午前中だというのに粗末なテーブルを囲み、札を広げて金のやりとりをしている。ファラオンらしい。札の角を折っているのですぐわかる。その先には道端に座り込んで酒を飲んでいる連中もいれば、塵を集めて焼いている連中もいる。

インドを思い出した。朝はチャパーティーを焼く竈《かまど》の煙が路地を流れた。燃料にする牛の糞を集めるのは子どもたちの仕事で、焼くのは親か年寄りだった。気怠い湿気の中で飲む熱いミルク茶がうまかった。文献を写す単調な作業に耐えられたのはあの混沌《こんとん》のせいだったかもしれない。牛がいた。犬もいた。猫も鳥も、物乞いも泥棒も行者も、みんなそれぞれ生きていた。カーストによって身分は厳しく分けられていたが、それぞれの諦めと受け入れによってかえって自由を手に入れていたように思う。

「俺にも飲ませてくれ」

ベンチに並んで酒を飲んでいた男たちに最後のルイ金貨を差し出した。驚いた顔でこちらを見たが、一人が奪うように金貨を取ると、壊れかけた椅子を勧めてくれた。

「釣りはねぇぞ。金貨だからってよ」

「うほっ、初めて触る」

家主に払うつもりで懐に入れておいたが、渡してしまった。インドを思い出すと、この世のことはどうでもよくなる。

汚いグラスだった。何の酒かわからない。燃えるようにきつく、口の中が焼ける。

「一息に飲んじまったのか。乱暴な爺さんだ」

「おもしれぇ。もっと飲ませてやれ」

立て続けに三杯あおった。気分はよかった。今さら身体をいたわって何になる。この世の仕事はやり尽くした。

エグモン夫人。いつもは忘れているが、酒のせいで思い出した。あれ以来、会っていない。サロンは議員や新聞記者たちの溜まり場になり、ジロンド派だかジャコバン派だかで賑わっているという。好きにさせればいい。しかし夫人は本当にそれで満足しているのだろうか。もっと静かな世界を求めていたのではなかったのか。だからアレクサンドリアへ行きたいと言ったはずなのだ。何度も確かめようと思ったが、メルボワに好かれている女に執着するのは惨めに思えた。自分の年格好を考えれば無理なことはわかっている。メルボワも老いているが、金がある。それでわざと嫌うことにした。人を集め、人から大事にされるのが嬉しい女。実際そう見ようと思えばそう見えた。

アレクサンドリア。まだその地を踏んでいないが、響きはなお美しい。地中海の明るい陽射しと緑と青に輝く波と波。浸食された岩と古代の城壁。海底には百万の蔵書が眠っていたはずである。学者や僧が心血を注いだ知恵の集積が暗い海の底で引き揚げられるのを待っていた。しかし忘れ去られた。知恵を忘却の彼方に押しやることで得をする連中のせいだ。変化を望まない連中。つまりは足元が脅かされるのを恐れる連中。そうした連中にとって大図書館の存在は目障《は》りだった。わざわざ引き揚げようとするはずがない。知恵は静かな潮の流れに一枚一枚剝がされ、光が射さない海の底で溶けていく。ゾロアスターの研究に打ち込んだヘルミッポスの努力。エルサレムから訪れた七十二人の学者の努力。彼らは王宮で開かれた歓迎の宴《うたげ》の後、防波堤を渡ってファロス島の館に向かい、そこで三十六の小部屋に二人ずつ入り、正典、外典を七十二日間で訳しきったという。細部の真偽はどうでもいい。そうした営みの事実が重要なのだ。

「あんた、何しに来たんだい」

訊かれて我に返った。

「部屋を探しに来たんだ。空《あ》いている所があれば贅沢は言わない」

「だったら蛇男《へびおとこ》の所へ行くんだな。あの男がすべて仕切っている」

「蛇男？」

「そうだ。みんなそう呼んでいる」

「おい。よそから来た爺さんに言ったってわかるもんか。名前で言ってやれ。名前で」

「だから蛇男だって言ってんだよ。立派な名前じゃねぇか」

「爺さん。ファラオンやるかい？」

向こうの男たちが訊いてきた。

「持ち金はさっきの金貨だけだ。その残りを賭けていいなら付き合おう」

「よし。席を空けてやれ」

あちこちから野次馬が集まり、賑やかになった。酒を飲んだので寒くない。渡されたカードはぼろぼろで少し湿っていた。気まぐれに三を選び、角を折って伏せる。男は残りのカードを開いて左右に重ねていく。向かって右に三が出たほうが勝ちだ。

「やるじゃねぇか」

「年は取っても運は使いきってないようだ」

別の数を選んでも続けて二度勝ち、次は負けたが、また勝った。

「金はやろう。部屋が決まったらここで世話になるからな。そろそろ蛇の所へ案内してくれ」

「気前がいい男は大歓迎だ。今度はもっと金を持ってきてくれ」

連れて行かれたのは工場の近くにある古い三階建てのアパルトマンだった。一階のホール脇が蛇男の部屋らしい。「どうぞ」という声に促されて扉を開けると、中は思ったより清潔で奥の暖炉では火が燃えていた。

「これはこれは。誰かと思えば。おかけください。デュペロンさん」

「どうして名前を」

蛇男は連れてきた男たちが出て行くのを待って口を開いた。

「何度か会ってますよ」

「どこでだね」

「それは言わないほうがいいでしょう」

蛇男は小柄で痩せていた。遠目には子どもと見間違えるかもしれない。髪はだらしなく長く、鬘は付けずに赤いフェルト地の帽子をかぶっている。シャツは白で、その上から赤いチョッキを着込み、下は濃茶《こいちゃ》の長ズボンだ。そうだった。この界隈《かいわい》はサン・キュロットたちの根城のひとつだった。サン・キュロットとは貴族のようなぴったりとした半ズボンをはいていない民衆のことだ。去年八月、プロイセンと通じて体制を元に戻そうとする国王を追及するため、彼らは槍や長刀を手に大挙してチュイルリー宮殿に押しかけ、王側の兵と戦った。その翌日、議会は国王の職務停止を宣言したのだった。さらに九月、パリ侵入をうかがっていたプロイセン軍を撃破したのもサン・キュロットの力があればこそと言われている。

「部屋を探しているのだ。静かで広いに越したことはないが、贅沢は言わん。安くて汚い所でいい」

「口の利き方には気をつけたほうがいいな。安くて汚いったって、俺たちはみんなそんな所で育ったんだ。あんたらはどうか知らないが」

急に横柄な口調になり、組んでいた脚を苛立たしそうにぶらぶらさせた。口元も大きくゆがめ、蛇に見えないこともない。

「ついでだから言ってやろう。会ったのはどこなのか」

「結構だ。想像はつく。部屋を世話してくれたらすぐに出て行く」

「ほう。わかるのか」

「どうせ誰かの屋敷だろう」

「そうだ」

エグモン邸と言おうとしたが、名前を出したくなかった。記憶にはないが、夫人のサロンくらいしか思い当たらない。

「その屋敷は今でも賑わっているはずだ。違うかね」

「ああ、しこたま儲けている」

「儲けている？」

「火薬を扱ってるって話だ。まったく抜け目がないじゃないか」

「どこの話だ」

「それみろ。わからねぇだろう。あんたの弟の所さ。アンクティル商会のデランドさまのお屋敷だ」

驚いた。ここで弟の名前を聞こうとは。火薬を扱うようになったことは知っている。メルボワの発案だ。砲弾工場に卸《おろ》している。火薬はどこの軍にも必要で、売っても売ってもまだ売れると喜んでいた。

「俺は商会で働いていたんだ。しかし馘首《くび》になった。それでここにいるんだ」

「それより部屋の話をしよう」

「いや、せっかく会ったんだ。聞いてもらう。どうして馘首になったのかを。いいか。俺は何もしちゃいないんだ。デランドが勝手に罪をでっち上げ、俺に押しつけやがったんだ。いくら説明しても聞き入れてくれなかった。長年仕えても、いらなくなりゃ、はい、さよならだ」

「何の罪だね」

「使い込みだ。商会の金に手を付けて懐に入れていたと」

弟がそう判断したのなら事実なのだろう。この男は自分の非を認めたくないばかりに弟を責めている。

「でっち上げたのには理由がある。俺が難破詐欺にかかわっていると思い込んだのさ。しかしやめさせるにも証拠がない。だからありもしねぇ使い込みをでっち上げたんだ」

「難破詐欺？　いつの話だ」

「もう何年も前だ。船が嵐に遭ってアレクサンドリアで沈没したってな」

「やはり詐欺だったのか」

「知ってるのか？　実を言うと半分は詐欺で半分は詐欺じゃなかった。どのみちその船は沈んじまったからな」

「どういうことだ」

「荷出し側が中身を盗んで難破を装ったが、次の航海で本当に沈んじまったんだ。悪いことはできないって話よ」

「どうしてそんなことを知っているのだ」

「仲間がいる。あちこちにな。みんな金に飢えている奴らばかりさ。だからうまい話はすぐに広がる。おこぼれ欲しさに。しかし何度も言うが、俺はかかわっちゃいない。かかわろうにもこっちにいたんじゃできないだろう。荷出し側にいないとな。はっはっは」

何も言えなかった。悪人は悪人同士でつながっている。自分のような男がのこのこ出向いたところで何もわからなかっただろう。弟には話さないほうがいいかもしれない。この男と会ったことも、その裏の事情も。

「それにしてもデュペロンさん。あんたみたいなお人がここで暮らすなんざ、デランドも相当の冷血だな。自分は儲けてるくせに兄貴を見捨ててるんだから」

妙な同情をされて空き部屋を紹介してくれた。裏手のアパルトマンだった。四階の屋根裏だが、工場の反対側に窓があるので眺めは悪くないという。安く、年金でもやっていける。日割りで今月分を支払い、鍵を受け取った。

「悪いが、案内はできないよ。これから出かけなくちゃならんのでね」

「かまわない。わからなければ人に訊く」

「そりゃ無理だ。きょうはみんな出かけるはずだ」

「何があるんだね」

「知らないのか。パリ中が注目してるっていうのに。たしかにあんたは変わり者だ。ほかの奴とは違う」

「だから何があるんだ」

「処刑さ。国王ルイの」


代書屋の仕事は繁盛した。こんな貧しい所でも言葉は必要だった。新政府が法律を発令する度にそれぞれの職業で証明書や申請書が必要になり、界隈の住人が頼みに来た。生まれと現住所、氏名と家族、借入金に支払い税額など簡単な内容だったが、文字を知らなければどうしようもない。

「世の中が変わっても何とかやってかないとよ。感謝してるぜ。先生には」

「誉めすぎだ。事務的なことを代わりに書いているだけだろう」

「それでもありがてぇのさ。こんな紙切れひとつあるかねぇかで、人生がひっくり返っちまうんだから」

新しい暮らしは悪くなかった。粗雑で単純な連中ばかりだが、正直なので付き合いやすい。飲みたい時に酒を飲み、カードで遊び、眠くなれば寝てしまう。こんな気ままな暮らしは初めてだった。六十二歳。何をしても許される。

春風が穏やかに抜ける午後、扉を叩く音に目を覚ました。義妹のクロティルドだった。四階まで上がってきたので肩で息をし、花飾りの付いた帽子の下でレースのハンケチを何度も額に押し当てている。

「お話がありまして」

「知らせてくれれば出向いたよ」

招き入れ、椅子を勧めると、「ありがとう」と小声で言って腰を下ろした。帽子は絹の桃色地で、庇の縁は布が幾重にも寄せられて花びらのようだった。肉付きは変わらないが、顔は肌の張りが失せ、老けて見える。クロティルドにとってメルボワはどういう父親なのだろうかと初めて思った。もっと器量がよければ貴族のところに嫁がせたのだろう。妹は南フランスに領地のあった旧家に嫁いでいる。クロティルドにはアンクティル商会がちょうどよかったのかもしれない。血縁になれば融資話はしやすくなるし、商会も経営が安定するので受け入れる。金利は当然銀行の儲けだ。

「驚いたろう。こんな所で」

「いえ、主人から聞いておりましたから」

「で、話っていうのは」

「主人が拘束されました」

「拘束？　何があったんだ」

「公安委員会です。商会が卸していた火薬が敵にも流れていると責められたのです。何度か警告はありました。反革命的な行為は許さないと。ですが、主人は無視していました。『商いは商い。政治は政治だ』と言い張って。こんなことならあの時にやめさせておけばよかった」

クロティルドはハンケチを握ったまま顔を伏せた。

事態がまだのみ込めない。四月に公安委員会が設置されたことは知っている。どの新聞も書いていた。ダントンらの議員が参加し、革命を妨害する者を取り締まると。しかしどうして商会が狙われたのだろう。扱っているのは火薬だけではない。香辛料も乳香も金も銀もこれまで通り扱っている。

「火薬が敵に流れたというのは確かなのかね」

「はい。でも流れたのではなく、はじめから堂々と売っていました。情勢が変わっただけですわ」

「敵とは誰のことだ」

「おそらく王党派とプロイセンの両方のことを言っているはずです」

「なるほど」

デュペロンは立ち上がってグラスに水を注ぎ、一気に飲んだ。続いて下の棚からワインを取り出し、同じグラスになみなみ注いだ。

「飲むかね」

「いえわたくしは」

聞き終わらないうちに半分ほど飲み、また注ぎ足して椅子に戻った。屋根裏部屋なので天井が低く、西陽が射すと暑くなる。窓は開いているが、十分とは言えない。けれどもまた立ち上がって入り口を開けるのは面倒だ。

「いつなんだ。連れて行かれたのは」

「五日前です。一日か二日で帰ってくると思っていましたのに」

「長すぎるな」

　国王が処刑されて三カ月。革命はまだ途上にある。プロイセンばかりではない。イギリスもスペインもオーストリアも、国王処刑の声が自分たちの国でも高まることを恐れ、共和政府を崩そうと戦いを仕掛けている。この国は外に対しては周辺諸国との戦争、内に向けては革命を妨害しようとする勢力との戦いに直面しているのだ。そのただ中で公安委員会にはあらゆる権限が認められているはずである。

　震えが走った。最悪の場合、弟は処刑される。

「出かけよう。デランドはどこにいるのだ」

「アベイ監獄です」

　驚いた。去年の九月だ。反革命の容疑で収容されていた貴族や僧侶千人以上が虐殺された。脱獄して民衆を襲うという流言《りゅうげん》が広まったからだ。その血なまぐさい監獄に閉じ込められているとは。

「メルボワ伯はご存じなんだろう」

「はい。いろいろ動いてくれていますが、なかなか思うようにいかないらしくて」

「金を援助していたのではなかったのか」と言おうとしてのみ込んだ。クロティルドには関係がない。

「馬車はあるね」

「すぐ下に」

「銀行だ」

「ご案内します」


　来客中と言われ、待たされた。何度か前を通っているが、中に入ったのは初めてだ。彫刻が施された高い天井とアーチ形の大きな窓。壁にはキリスト生誕の場面から東方の三賢人《さんけんじん》、最後の晩餐《ばんさん》、昇天と復活まで聖書に沿って宗教画が掛けられている。神を認めないと言ったメルボワにとってこれらの絵は差し押さえの品にすぎないのだろう。

　ようやく入るよう伝えられ、大きな扉を抜けた。

「かまわんじゃないか。それでいいだろう」

「こちらもはじめからそのつもりです」

　客は帰っていなかった。礼儀をわきまえずに乱入したようでばつが悪い。クロティルドは
「わたくしは遠慮します」と外にいる。

「おお、デュペロン君。待っていたよ」

　手招きされて部屋に進むと、客を紹介された。ダヴィッドと名乗った。絵描きという。

「かねがねお噂は」

　そう言ってこちらにすっと手を出す。四十半ばくらいだろうか。眉が太く、野性的な顔立

ちだ。

「ローマ賞を受賞し、イタリアに留学している。王立絵画彫刻アカデミーの会員であり、国民公会の議員でもある」

本人はメルボワの説明に苦笑している。

「覚えているだろう。球戯場の誓いを」

「球戯場？」

「四年前だ。公会堂を閉め出された第三身分の代表が屋内球戯場に移り、憲法が制定されるまで国民議会は解散しないと誓った」

「ペン画ですが、おとしのサロンに出品しました。いずれ銅版画にするつもりです」

メルボワの説明を待ちきれないというようにダヴィッドが続けた。ペン画と言われてもサロンに行ったことがないのでわからない。

「こうでなければな。何かをなす以上は」

皮肉に聞こえた。実際、メルボワはそのつもりで言ったのだろう。「黴臭い文献をいじり回すより、世の主流に身を置いて活動しろ」と。放っておいてくれ。今は弟の件で来ている。

話題を変えようとすると、メルボワは執事に促されて席を外し、代わってダヴィッドが話しかけてきた。

「最近はどんなご研究を？」

「何もしていない。もう年だからな」

「もったいない。年齢を重ねてからのほうが大きな仕事ができるはずです」

「君は忙しいのだろう」

「おかげさまで。もっとも本業以外のことでですが。覚えておいでしょうか。ヴォルテールの遺骸をパンテオンに祀《まつ》った儀式を。おととしの七月です。柩《ひつぎ》を載せた凱旋車《がいせんしゃ》から衣装、楽器にいたるまですべてわたしがデザインしました。去年はスイス兵を讃える式典の総監督も務め、そのせいか革命に貢献した人間の葬儀や式典となるとすぐに声がかかるんです」

ヴォルテールと聞いて複雑な感情を抱いた。その昔、ゾロアスターの研究書を酷評された。世の中は革命の父として尊敬し、人気もあるが、自分にとっては辛辣《しんらつ》で才走った冷笑家でしかない。

「たいしたものだ。あれもこれもと」

「あれもこれも？」

「悪く思わんでくれ。とても真似できないということだ。そこまでの野心は持ち合わせていない」

「何をおっしゃいます。ヨーロッパ人が知らなかった文献の翻訳に若くして挑み、賞賛されたではないですか。野心があればこそでしょう」

「そうかもしれないが、野心だけでもない」

「どういうことです」

「言葉は絵とは違う。思考なのだ」

「絵もそうです」

「では、どうして政治に近づくのかね」

「素材を手に入れるためですよ。誰にも手に入らない素材を」

「手段は選ばんわけだ」

「そうです。乱暴な言い方をすれば、議会も処刑されたルイもわたしにとってはあくまで歴史を描くための素材にすぎません」

「羨ましいね。意味に縛られない画家の仕事が」

ダヴィッドは一瞬眉間に力を入れ、考えていたが、メルボワが戻ると、会釈をして出て行ってしまった。

「また何か閃《ひらめ》いたらしい」

メルボワは嬉しそうに言うと、「デランドの件だったな」とこちらを向いた。娘から聞いたらしく、クロティルドも遅れて扉の脇に現れた。

「まずは何が連中の癇《かん》にさわったのかだ。火薬に限らず、大砲も槍も軍靴も商人の協力なくしては集まらない。言うまでもないことだ。とすると、誰かの陰謀か」

ようやく頭が戻り、陰謀とすれば誰の仕業なのかを考えた。

「主人は人に恨まれるようなことは何ひとつしていませんわ」

「嫉妬はされる。儲け損なった連中から見れば目ざわりだ。それで公安委員会に密告し、葬り去ろうとたくらんだ」

ては恨みとして残ることは十分あり得る。


「恐ろしいこと」

メルボワは冴《さ》えている。激動の中で財力の強化に集中してきただけのことはある。ひとつ思い出した。蛇男の話だ。真偽はともかく、商会を運営する上で必要な決断が、相手によっては恨みとして残ることは十分あり得る。

「どこの勢力に何を売ろうが問題はないというのがわたしの立場だ。だからデランドにもそうさせた。ところがある時点から厳しくなり、すべてを革命の成功に捧《ささ》げなければならなくなった。誰の影響かわかるかね。ロベスピエールだ。彼は純真な分、偏狭で、真剣な分、排他的だ。ジャコバン派が勢いづくのは、その生真面目さを誰も批判できないからだ」

その通りかもしれない。しかしとにかく弟を救い出さなくてはならない。

「警告があったのはご存じですよね。反革命的だと」

「誰にだね」

「もちろん弟にです」

クロティルドのほうを向いて確認を求めると、気まずそうに目を逸らした。

「どうなんだ。クロティルド。答えなさい」

メルボワには初耳だったらしい。

「お父さまには伝えませんでしたわ。ご心配なさるから。それに主人も誰にも言うなって」

「馬鹿な。そんな大事なことを」

「はじめは主人も相談しようとしていましたわ。でもやめにしました。言えばまたお父さまに叱られますから。それくらい自分で解決できないのかって詰《なじ》られるのが恐かったんです」

「わたしがいつ詰ったのだ」

「いつもです。いつでも場所を選ばず、使用人や女中がいる前でも平気で主人を責めてきましたわ」

「商人としてしっかりしてほしいからだ。責めているんじゃない」

「同じことですわ。あの人はあの人なりに必死にやっているのに頭ごなしに怒鳴られたのでは自信をなくすだけです」

「そんな甘いことを言っているからいつになっても大きくなれんのだ。お前だって満足できまい」

「いえ、満足しております。優しい主人と子どもたちに恵まれてわたくしは十分幸せです。大きな商売ができるようになったからといって、わたくしの幸せには関係ありません」

　思わぬ親子げんかに驚き、弟が置かれていた環境を初めて知った。いつだったか屋敷に来るなと言われた。それほどメルボワを恐れていたのだ。

「お二人とも話を戻してください。商売のことは関知しません。ですが、メルボワさん。いつだったかあなたはこうおっしゃった。金は最強の武器だと。でしたら今こそ、その力を見せてくださいませんか。金の力で弟を救えるところを見せてください」

　メルボワは腕を組み、口を固く結んだ。

「お義兄さま。お父さまのお話をあてになさってはだめよ。威勢のいいことを言うのが好きなだけで、実際にそれほどの力はありませんの」

娘の反撃にもメルボワは黙ったままだ。クロティルドは必ずしも父親を理解していないかもしれない。けれども実の親子でなければ気づかない弱点というのはある。

「お前に何がわかる」

小さな声だった。娘との年齢差を考えて自重したような苦しさを感じた。

「まあいい。さてデュペロン君。力を見せろと言ったね。金の力を。それに対してはこう答えよう。努力する。最大限。しかし君も努力しなければならない。金の力ではない。言葉の力で努力したまえ。言葉の力を見せつけてくれたまえ」

「では今から監獄に出向いて交渉してきます」

「無駄だ。会わせてくれん」

「行ってみなければわかりません。それがまず初めの努力です」

「よし。わたしも努力しよう。しかし誤解しないでくれたまえ。保釈金を支払うつもりはないぞ。金の力とはそんなものではないからな」

デュペロンはメルボワの言葉をよく理解できないまま挨拶もそこそこに退室した。


「ここで待っていろ」

若い衛兵はデュペロンよりクロティルドを眺めて奥に消えた。無礼な振る舞いだが、話を取り次いでくれればそれでいい。塀の外から眺めると、監獄は四階建てで、窓に鉄格子がなければアパルトマンのようだ。門の周辺にはほかにも面会を申し込む家族や仲間がたむろし、順番が来るのを待っている。

「出てくる時は死体だよ。ひっひっ」

物乞いが誰にも恵んでもらえないので悪態をつき、寝ている黒犬の腹を蹴飛ばした。犬は蹴られるのに慣れているのか鳴きもせずに立ち上がり、とぼとぼ歩いてまた寝そべってしまった。クロティルドは見かねて財布を取り出したが、銅貨が見つからないらしく、五リーヴル札を差し出した。

「犬にも食べ物を」

物乞いは一瞬驚いた顔をしたが、すぐにひったくると「神のご加護を」と言って門の中に滑り込んだ。しばらくして先ほどの若い衛兵が現れ、手招きした。脇には物乞いがいて笑っている。

「神のご加護だわ」

「わずか五リーヴルで」

石段を上がり、狭い一室に通された。氏名と住所を告げ、面会の相手を伝えた。獄吏《ごくり》は分厚い綴じ込みを面倒くさそうに机に広げてデランドの房を探そうとするが、数が多いので見つからない。同じ日だけで四、五十人はいるだろう。アルファベット順でも房順でもなく、来た順に記されているので時間がかかる。

「三のｆ！」

礼もそこそこに三階に上がり、鉄格子の廊下を歩く。悪臭がするが、房は広い。大勢の男たちが横になったり、しゃがんだりしている。服装はさまざまだ。革命前は身分ごとに分けられていたと聞くが、獄舎まで平等になった。

「デランド！」

我慢できなくなって大声で叫んだ。こんな所に閉じ込められているかと思うと耐えられない。

「デランド！　どこにいる！」

続けて叫ぶと笑い声がした。嘲《あざけ》りと罵りが渦のように広がっていく。けれども叫び続けるうちに囚人たちも「デランド、デランド」と叫び始め、大合唱になった。声は石壁と天井に反響し、汚れた廊下を風のように駆け巡る。

「デランド！」

「デランド！」

もはや名前ではなく、何かの象徴だった。虐殺のあったアベイ監獄全体が何かを求めて叫んでいる。

それでも弟は現れなかった。どこへ消えたのだろう。そもそもこの階ではないのかもしれない。

下りようとした時、クロティルドに袖を引かれた。

見れば、柱の陰にがくりと頭を下げて太った男が座っていた。シャツの襟ははだけ、袖も破れて血が滲んでいる。デランドだった。

　駆け寄り、鉄格子をつかんだ。

「こっちだ。兄さんだ。おい」

　デランドはゆっくりこちらを向いた。目は片方が真っ赤で、もう片方は瞼《まぶた》が腫れ上がっている。口の周りには血がこびり付き、乾いて黒くなっている。

「あなた」

「何があったんだ」

　周りにいた囚人たちが弟を立たせて鉄格子まで連れて来ようとしたが、力が入らないのかすぐに腰が砕けてしまう。

「しっかりしろ。ここまで自分で歩いて来い」

「だんな。そりゃ無理ってもんだ。折れているんだぜ。腰も脚も」

　クロティルドは悲鳴を上げ、胸の前で十字を切った。

　囚人たちに引きずられて前に来た時、ようやく表情が引き締まった。両手で鉄の棒にすがりつくように上半身を支え、わずかに口を動かした。

「だまされた」

　聞き間違いではない。たしかに言った。誰にだまされたのかと訊こうとしたが、突然囚人たちが怪しく思え、警戒した。

「信じちゃだめだ……ここも……委員会も」

委員会とは公安委員会のことだろう。その取り調べで正直に話しすぎたのだろうか。注文さえあればどちらにも火薬を卸していると。暴行されたのは取り調べの最中か、それともここへ閉じ込められてからか。夜中に集団で組み伏せられればひとたまりもない。先ほどの合唱が蘇った。あれは獲物を襲う時の合図かもしれない。誰かが思いつくままに名前を叫び、ほかの囚人たちもそれに続き、うっかり名乗り出た人間が暴行される。苛立ちを解消するには暴力が一番だ。

「どうすれば助け出せる」

「証立《あかし》てを」

「つまり」

「寄付を……委員会に」

啞然《あぜん》とした。革命を妨害したとして捕らえられたのではなかったのか。それなのに金がものを言うのか。しかし安堵《あんど》もした。金で解決できるなら何とかなる。

四

議会は混乱が続いた。ジャコバン急進派のモンターニュ派が公安委員会の権限強化を狙い、抵抗する穏健派を追放した。その報復として穏健派支持の若い女がモンターニュ派指導者の一人マラーを訪ね、入浴中に殺害する事件が起きた。一方、モンターニュ派内でも確執があり、ロベスピエールによってダントンが公安委員会から排除されたという。

弟は拘束されたままだった。交渉は失敗続きで金ばかり失った。そもそも誰にいくら納めれば効果があるのかわからなかった。金はクロティルドが用意した。難破詐欺で大きな損失をこうむったが、その後の儲けがあるらしい。メルボワも努力していたが、成果がなかった。相手は思想において行動している。説得するには言葉が必要だった。金はメルボワの領域で、言葉は自分のはずだったが、いつの間にか逆の立場を強いられていた。

ノートルダムの屋根にいるという怪物を思い描く。敵対と熱情を煽《あお》り、建設より破壊へ導いてほくそ笑んでいる。神の恩寵《おんちょう》を遠ざけ、悪魔がもたらす混乱にこの世を投げ込むつもりなのだろう。

「邪魔なやつらは殺しちまうしかない。何たって邪魔なんだからよ」

「そうともさ。もたもたしてるのは大嫌いだ。先生もそうだろう」

「違うな。そこのところは。もう一杯注いでくれ」

カードを持っているので空いた手でグラスを差し出す。

「どう違うんで？」

「まだるっこしいことは大事だってことだ」

「それじゃ革命は前に進まないぜ。邪魔なやつらはかたっぱしからギロチンに送るのが一番なんだ」

　一瞬、恐怖を感じてからカードを開いた。近隣の住人として付き合っているが、越えられない一線があることはお互いに知っている。あまり正直になってはいけない。

「おいらの勝ちだ。先生、それじゃ勝てっこねぇよ」

「そうだな。きょうはまったく札が来ない」

　立ち上がると、馬車が見えた。二頭立てで路地には入れず、開けた扉から手招きしている。クロティルドだ。

「いつかの樽女《たるおんな》じゃねぇか」

「土産《みやげ》は何がいい」

「酒より金だね」

「おれは槍だ。錆びちまった」

　馬車まで来るとクロティルドが身を乗り出した。

「釈放されました。けさ早く」

「おお」

　乗り込むと、すぐに走り出した。

「今どこにいるんだ」

「家に戻っております」

　景色が違って見える。何カ月ぶりだろう。

「恩赦か」

「いえ、絵描きの方が公安委員会に掛け合ってくださったと聞いています」

「ダヴィッドだ。メルボワ伯のお手柄だな」

「名前は存じませんが、いくら感謝してもしきれません。父もよほど応えたんですわ。わたくしの言葉が」

馬車が着き、玄関の階段を上がろうとしてクロティルドがまだなのに気づく。ドレスが長いので速く歩けない。女性と行動を共にすることがないので忘れてしまう。

ようやく並び、いつもの二階に向かう。

「そちらではありません」

案内されたのは一階の奥だった。使用人の部屋を過ぎ、台所も通り抜ける。その先は古い帳簿や家具が入った納戸くらいしかない。子どもの頃の隠れ家だ。

「こちらです」

「どうしてこんな奥に」

クロティルドはうつむき、唇を噛んでいる。納戸の隣の部屋だった。何に使われていたのか覚えていない。いや、こんな所に部屋があることすら知らなかった。そうだ。昔は大きな鏡が掛かっていた。鉄の飾りが付いた骨董品で父がどこかで仕入れたものだ。けれども母が気味悪がって表に出さず、それで部屋の扉が塞がれていた。

取っ手を握り、ゆっくり回す。扉はぎしっと鳴って手前に開く。こぢんまりとした部屋で小さな窓から光が射していた。しかし弟の姿は見当たらない。横のクロティルドは光を見つめて黙っている。

「デランド」

呼んでも返事はなく、一歩、二歩と中に入る。

左の隅を見て叫びそうになった。変わり果てたデランドが椅子からこちらを眺めていたのだ。髪は抜け落ち、頬は痩け、肩も胸も腹も別人のように痩せてしまった。膝には織物が掛けられていたが、細い棒二本分のふくらみしかない。

「よく戻ったな」

かろうじて出たひと言にデランドは静かに首を縦に振った。ほっとした。話は通じるらしい。

「お兄さまに会えてよかったわね」

クロティルドはデランドに近づき、垂れた涎《よだれ》をハンケチでぬぐった。

「もう安心だ。ゆっくりすればいい」

デランドは照れくさそうに笑みを浮かべた。悲しげな笑いに胸を突かれた。訊きたいことが消えてしまった。

「そこでは暗すぎるだろう。それにこの部屋も」

「主人の希望なんです。はじめは一階の居間に場所を作ったんですが、本人が嫌がって。どこがいいかと訊けば奥、奥って言うんです。それでこちらに」

クロティルドが続けようとすると、デランドが「うっ、うっ」と呻《うめ》き、ようやく言った。

「椅子の位置は？」

「こわい……んだ」

絞り出すような声だった。何が恐いのだろう。自分の家ではないか。しかし目を見て気づいた。監獄内での襲撃だ。いつ誰の掛け声で始まるかわからない。それで身を守るために隅に隠れるようになり、戻ってもその恐怖から抜け出せないのだ。

「とにかく静養することだ。何も考えずに」

「に……いさん」

「何だ？　できることがあれば言ってくれ」

「しご……と」

「心配するな。お前の働きでここまで大きくなったんだ。下の者に任せればいい。いざとなればクロティルドもいる」

「ちがう。にいさん……の」

「わたしか？　図書館を馘首《くび》になってから何もしちゃいないよ。毎日、酒とカードと昼寝で終わる。気楽なもんだ」

デランドは顔を暗くした。うつむいたので陰になっただけかもしれない。クロティルドが涎をぬぐうと、また声を出した。

「やらないと……いけない」

強い眼差しだった。肘掛けに置かれた腕をわずかに上げ、必死に指先を伸ばそうとしている。

何を言う。自分の身体を考えろ。こちらは好きなように生きてきたのだ。

「少しお休みになってください。ベッドがお嫌ならこのままで」

クロティルドが気を利かせてデランドの膝掛けを直し、窓に寄って厚地のカーテンを引いた。光がさえぎられて部屋は仄《ほの》かな闇に沈み、デランドも安心したのか目を閉じて深く息をついた。

部屋を出て扉を閉めると、クロティルドはその場にしゃがみ込み、嗚咽《おえつ》に身体を震わせた。

「時が解決するよ。信じて待つよりほかない」

「どうしてあんな目に。いったい主人が何をしたと」

その通りだった。しかし少なくとも生き延びたのだ。希望をなくしてはいけない。

メルボワは銀行の執務室に戻っていた。午後には帰ると聞いたのでカフェと散歩で時間を潰した。

「お礼にうかがいました」

「どうしたね。あらたまって」

「弟が釈放されました」

「そのことか」

「お力添えがなければ未だに監獄にいたはずです。言葉ではとても感謝しきれません」

「では謝礼金をいただこうか。君が軽蔑する金を。はっはっは」

余裕だった。けれども嫌な感情は起こらなかった。金があれば献上したいくらいだからだ。

「いつかの画家にお世話になったと聞きました」

「クロティルドだな。力がないと言いおったくせに。ま、たいした男だ。ダヴィッドは。王立絵画彫刻アカデミーも廃止するつもりだろう」

「アカデミーを？」

「そうだ。若い頃、ローマ賞に応募して三、四回落ちているからな。美術界の旧権力にも恨みがあるのだ」

運ばせたワインを二人分注がせ、「乾杯」と掲げてさらに続けた。

「覚えているだろう。保釈金は支払わないと言ったことを。約束は守ったぞ。今回の件では一リーヴルも使っていない」

「どうやって成し得たのです。監獄で会った時、弟は証立てとして公安委員会に寄付をしろと」

「簡単だ」

メルボワは再びグラスを傾け、こちらを見た。

「先ほども言ったように一にも二にも議員であるダヴィッドの働きだ。わたしも感謝している。しかしなぜ彼が動いてくれたのか。それにはデランドがなぜ告発され、身柄を拘束されたのかを考えなければならん。罪状は火薬の卸《おろし》だ。革命側にも王党側にも卸していたと。わたしが勧めた。儲かるからだ。だが、儲けることは悪いことなのか。ダヴィッドはまさにこの点について理解してくれたのだ」

意味がわからなかった。メルボワは銀の皿に載ったロティが何の肉か給仕に尋ね、仔牛《こうし》と確認すると、金串からひとつひとつ外させて口に運んだ。遅い食事だ。多忙なのだろう。肉を呑み込み、ワインで流すと再びこちらを向いた。

「つまりだ。利益の追求は自由であり、商いはあらゆるものから自由でなければならないということだ。敵からも味方からもな。従ってアンクティル商会の行為は罪に値しない。そう認めてくれた」

それならどうして拘束したのだ。監獄に閉じ込められなければあのような姿で帰ることはなかったのだ。

「勝手な話です。嫌疑をかけて拘束し、議員の同意で釈放される。平等を謳《うた》った人権宣言が聞いて呆《あき》れます」

「嫉妬と陰謀は世の常だ。どこかの商売人が公安委員会のメンバーに密告したのだろう。こちらが没落した後で取引を横取りしようと狙ってな。もうわかっただろう。金の力とはそんなものではないと言った意味が。賄賂《わいろ》など力の本質ではない。金はもっと自由なのだ。敵も味方もなく、国境さえ越えてどこまでも行く。そういう生き物なのだ。とてもわれわれが飼い慣らせる相手ではないのだよ。ダヴィッドとはこの点で一致を見たのだ」

「難しい考えです。限られた人にしか理解できない」

「承知している。だが、いずれ来るはずだ。金についてもっと自由な時代が。わたしはそこでとことん稼いでみたいと思っている。それまで生きていられないのが残念でならん」

「金が価値ですか」と問おうとしてやめにした。それぞれ考えがある。溝は溝として残しておこう。

給仕を呼んでワインを注いでもらった。濃い紅紫《こうし》がシャンデリアに輝き、葡萄の香りが立ち上る。一滴もこぼさない技に気をよくしたのか、給仕はグラス一杯に入れてしまった。給仕は笑って遠ざかり、向こうで瓶を掲げて眺めている。空にしたかっただけらしい。

アントルメが運ばれた。牛挽肉《ひきにく》のジュレという。メルボワが手を伸ばすのを見ながら静かに尋ねた。

「いずれそうした時代が来たとします。その時、政治の役割は何だとお考えですか」

「妨害しないことだ。金の流れを」

「金より下にいろと」

「いや、離れていろということだ」

ジュレを味わうと満足そうな笑みを浮かべ、もう一口運ぼうとしてこちらを見た。

「同じ質問をしよう。金について開かれた時代に言葉の役割は何だと思うね」

「変わりません。どのような時代であろうと」

「もったいぶらずに言いたまえ」

「価値を探ることです。金がどうあろうと同じです。言葉は価値を求めてあらゆるものを切り刻み、排除し、結びつける。その自在さが精神を自由にするんです。はじめは苦々しくても、必ず清々《すがすが》しい瞬間が訪れる」

「まあいい。そういうものだと聞いておこう。君もそう長くは生きられんからな。しかし訊いてみたいものだ。新しい時代にあっても同じことを言えるかどうか」

「断言できます」

「たいした自信だ」

「二百年後にでもお会いしましょう。そうすればわかりますよ」

「世の中も変わっているだろうな」

「その時もわたしは貧しい翻訳家で、そちらは大銀行家」

「宿命だから当然だ。で、会う場所はどこだ？　まさかパリじゃないだろう」

「ペルシャかインド。いや、もっと離れて日本はどうです」

「刀を下げて頭を剃るのか」

「禿《は》げれば同じことです。もう一度乾杯しましょう」

デュペロンはグラスを掲げ、メルボワはさらに高く掲げた。

「弟が釈放されたことに」

「金の自由のために」

「言葉と自由のために」

「金こそが自由を保証すると誰もが認めるために」

「新しい言葉こそ苦悩を癒す知恵だと気づくために」

「乾杯」

「乾杯」


十月十六日。遂に王妃アントワネットが処刑された。三十八歳。オーストリアと通じていると疑われ、革命裁判所に起訴されていた。ハプスブルク家から嫁いできたのだから仕方ないが、ルイに続いて王妃まで処刑されると誰に想像できただろう。これ以降、反革命的行為への取り締まりはさらに苛烈になり、貴族は言うに及ばず、商人、職人まで次々と逮捕され、ギロチンに送られていった。弟が今逮捕されていたら間違いなく死んでいただろう。

「小麦が足りなくて価格が暴騰しているらしいな」

「前からです」

「ほかの国から仕入れて売りさばけば大儲けできる」

「兄さんらしくもない」

デランドは順調に回復し、二階で生活するようになった。歩くことはできないが、顔の神経は戻り、受け答えにはほとんど支障がない。仕事は大半を下に任せ、報告を受けるくらいにとどめている。

「兄さんもここで暮らしたらいい。家賃もかからないし」

「クロティルドが気疲れするだろう。それに向こうは向こうで悪くない。いろいろあるが、耐えられないほどでもないからな」

デランドは続きを聞きたそうにしていたが、あまり話したくなかった。サン・キュロットたちは政府の配下として反革命容疑者の逮捕に進んで協力し、俸給を得ている。そうした連中と同じアパルトマンに暮らすのは弟への裏切りのように思えたからだ。

「それより新しい肘掛け椅子を探してこよう。部屋の中くらい自由に動けたほうがいいだろう」

「椅子に乗ったまま？」

「そうだ。大砲だって運びやすいように車が付いているだろう。椅子に付いていれば動き回れる」

「だったら作らせましょう。探すだけ手間ですよ。それにうまくすれば売り物になる。こんな身体になった人間はほかにもいるでしょうし、戦争でやられた兵隊まで考えればかなりの数です」

「儲かるな」

「やりましょう」

決まれば話は早かった。下から使わない椅子を運び込み、どこにどれくらいの車を取り付ければいいか話し合った。クロティルドも加わり、「考えているだけではだめです」と器用に図面まで引きはじめた。

「いつの間にそんなことを学んだのだ」

「あら、ドレスを縫う時はいつもこうするじゃないの。同じですわ」

座り心地、運びやすさを考慮して設計し、さらには自分で動きを操作できるほうがいいと、歯車やハンドルまで書き込んだ。

「すごい椅子になったな」

「本当にできるかしら」

「注文するだけの価値はあるでしょう」

「主人がこれに乗ってくれたらわたくしも楽ですわ。用がある度に呼ばれなくて済みますから」

「それで絵を描いたのか」

「許してくださいな。火薬の次はこの椅子で儲けましょう」

クロティルドの言葉にそろって笑い声を上げた。


半月もしないうちに椅子が完成し、呼ばれたデュペロンは実家に急いだ。部屋で見ると、とても試作品とは思えない完成度だった。塗りはまだだったが、左右の肘掛けの前にそれぞれ小さなハンドルが取り付けられ、方向が変えられるようになっていた。車は小さなものが前の左右にひとつずつ、後ろは中央にひとつある。いずれも足元で邪魔にならない。

「これに飾りを付ければ立派な商品になる」

「工房を借りて専門の職人を雇いましょう。月に二、三十台は生産できます」

デュペロンは家業の発展に貢献できるのが嬉しかった。文献の翻訳に比べ、明らかに世の中の役に立つ。言葉にしか関心がなかった自分が今ごろになって変わるとは意外だった。手で触れるものには存在感がある。金儲けも悪くない。

「座ってみるといい」

「大丈夫かな」

「だんな。わたしらの腕を見くびっちゃいけません」

運んできた職人に助けられ、デランドが恐る恐る移動する。脚は痩せたまま動かず、だらりと垂らすだけだが、腰を下ろせば座面の大きさや背もたれの高さがちょうどいい。

「このハンドルだね。こっちを回すと、おっ、ということは」

「お上手ですわ。くるくるよく動くこと」

車は左右別々に動くので小回りが利く。右だけ回せば左回りに、左だけ回せば右回りに、両方前に回せば前進する。これなら部屋からも出て行ける。

「いいね。ハンドルが少し固いが、使いやすい」

「お父さまのところからお金を借りて大々的にやりましょうよ」

「それがいい」

盛り上がっている時、手紙が届いた。

「デュペロンさまのお宅が留守だったものですから」

使者から受け取り、差出人を見るとメルボワだった。

「ちょうど話をしていた本人からだ」

封蠟を壊し、中を読んで息をのんだ。エグモン夫人が逮捕されたという。

セーヌの川縁を秋風が吹き抜け、石畳には物乞いの親子が抱き合うように座っていた。財布から紙幣を出して子どもに渡す。

何があったのだろう。サロンに穏健派ばかり集まるようになり、モンターニュ派からにらまれたという。しかしそれだけで逮捕されるとは。個人的な恨みを晴らすために密告する輩《やから》があちこちにいる。はめられたのかもしれない。

もう何年も会っていない。メルボワとの関係は知らないが、公職を失った貧しい男に今さら用はないだろう。しかし事情を知りたい。夫人はどこにいて、どれほどの危険にさらされているのか。

銀行に行くと、メルボワは体調を崩して家にいると言われ、馬車を雇って屋敷に向かった。椅子の話は後回しだ。

案内され、扉を開けると、部屋の中央に天蓋《てんがい》に覆われた豪華な寝台があり、そこに一人の老人が横たわっていた。鬘を付けていないメルボワを初めて見る。髪は薄く、頭の骨が小さく見える。このまま死んでしまうのではないかと思えるほど弱々しい。寝息を立てているので家人と並んで立ち尽くす。手紙はここで書いたらしい。

「ほかの部屋で待ちましょう。お疲れのようだ」

「承知いたしました」

出て行こうとした時だった。

「そこにいてくれ」

そろって寝台を見たが、メルボワは目を閉じたままだった。けれども家人は慣れているらしく、苦笑いを浮かべて一人で退出した。

「まったく災難ばかりだ」

「そのようです」

「どうするのだ」

「どうするとは」

「決まっているだろう。どうやって救い出すのだ」

メルボワはようやく目を開け、天井を見た。老いた身体に闘志が戻ったらしく、視線は力強い。この男は何者なのだろう。金を追い、そのための自由を語り、捕らえられた愛人を心配する。富を築き、一方で富の力を畏《おそ》れている。大胆なのか繊細なのか。傲慢《ごうまん》なのか謙虚なのか。

羽根枕から上半身を起こし、何か言おうとして咳き込んだ。薄い髪が乱れ、肩が激しく揺れている。胸を押さえ、喉をもむようにして発作が過ぎるのを待っている。

ようやく落ち着きを取り戻すと、こちらを指して言い放った。

「今度は君の番だぞ」

「わかっています。しかし状況は前より悪化している」

「それがどうした」

「よほどの幸運が必要だということです」

「ならば手にしたまえ。命に代えてでもその幸運を手にしたまえ。それだけの女性だということは知っているはずだ」

　初めて聞いた。やはりメルボワは夫人を愛していた。

「君の話は聞いている。サロンで先生と呼ばれていたこともな。君は彼女の愛を勝ち得たかもしれないが、わたしは拒まれた。こんなことなら愛を条件に融資に応じるべきだったと悔やんだほどだ。だが、もういい。そんな苦しみは吹き飛んだ」

　混乱した。メルボワと関係があるものだとばかり思っていた。だから忘れようとこちらから離れたのだ。

「誤解があります。わたしも夫人の愛は得ていません」

「何だって？　では、誰を想っていたのだ」

「本人の口からその話を？」

「ご婦人が自分で言うものか。しかし好いた男がいないはずがない」

「いや」と言いかけてのみ込んだ。いなくても不思議はない。サロンで見せたあの孤独。結婚生活にもホテル経営にも疲れ、気晴らしに始めたサロンさえ煩《わずら》わしく感じていたらしいあの翳《かげ》り。どこにも居場所がない人間が味わう憂いだ。恋愛ごときで癒されるはずがない。

「どうあれはっきりしました。わたしたちは恋敵でも何でもない。むしろ夫人を救わなければならないという点で一致しています。それで彼女は今どこにいるんです」

「コンシェルジュリだ」

絶句した。アントワネットと同じ監獄。よりによってあんな所に。そこに入れられると、ほとんど生きて帰れないと言われている。

「知恵がいる」

「そうだ。期待しているぞ」

トランクにしまい込んだ文献が突然頭に浮かんだ。ある銀行家が「智慧の書」と言って、くれたものだ。どうしたのだろう。今はウパニシャッドなど役に立たない。

「ダヴィッドのアトリエはどちらです」

「また彼かね」

「ほかに伝手《つて》はありません」


ルーヴル宮に近い大きな屋敷だった。夕刻、議会から戻ると、食事もそこそこにアトリエに入り、深夜まで依頼された作品に取りかかる毎日という。たいしたものだ。それくらいでなければ革命政府の要職と画業は両立しないのだろう。手がけているのは絵ではなく像という。没収した王室のブロンズ彫刻を集めて鋳直し、人民の像を造るらしい。

およそ一時間後、ダヴィッドは髪を掻きむしりながら現れた。

「いまいましい。どうしたってギリシャ的になってしまう。力強さが表現できるのだからかまわないだろうに。そうは思いませんか」

「お好きになさったらいい。ご自分の思う通りに」

「まったくです。しかしつまらぬことをぐずぐず言う連中が必ずいる。面と向かってではなく陰でです。だから反論もできない。で、ご用は」

ダヴィッドはお茶のカップを手に立ったまま尋ねた。簡単に伝えると、手を天に向けた後、一口飲み、壁際の半円テーブルにカップを戻した。

「結論から申し上げます。裁判で勝つことです。それしか方法はありません」

「弁護士の腕次第だと？」

「あるいは陪席判事と裁判長の判断次第です。しかしほとんどの場合、訴追官《そついかん》の主張通りになる。そのほうが早いからです。何しろ膨大な人数を裁かなければなりません。すでに二千人は超えているでしょうし、これからますます増えてくる。世の中が大きく変わる時に多少の犠牲はつきものですよ」

「二千人が多少ですか」

「二万人に比べればです。仕事が残っていますので、これで」

屋敷の階段を下りる間も犠牲という言葉が頭の中で響き続けた。太古の昔、神々に生贄《いけにえ》を捧げたのは、その犠牲によってほかの大勢が救われると信じたからだ。だからこそ名誉とされ、生贄となった者は神と同等に祀られた。しかし反革命容疑で捕らえられた人たちに名誉はない。犠牲どころか、ただの被害者だ。否定されたはずの絶対王政が形を変えて生き延びている。平等と権利の実現を掲げた革命政府が専制君主の座に就いてしまった。

アパルトマンに向かいながら、サロンによく来ていた弁護士を思い出した。知的で上品な青年だった。頼めば力になってくれるかもしれない。しかしその前に夫人に会おう。

翌日、コンシェルジュリに向かった。セーヌに浮かぶシテ島にある。もともと王宮として建てられただけあってとても監獄には見えない。

正門は新しい囚人や家族たちで混んでいた。野菜を積んだ驢馬《ろば》もいる。囚人の食事用だろう。裏門に回れと怒鳴られているが、驢馬が動こうとしない。面会を申し入れ、粘り強く待ってようやく中に入った。

納める金によって待遇が違うらしく、個室から相部屋、大部屋までいろいろだった。夫人がいるのは女囚棟《じょしゅう》の二階。薄暗い階段を上がると踊り場があり、鉄格子の向こうに中庭が見える。散歩に出ているのは男ばかりで、学者風の老人が狭い空を見上げていた。

「まさか来てくださるとは」

「元気そうで安心しました」

獄吏がすぐ後ろにいるので思うように話せない。廊下を進んだ中ほどの独房で、小さなベッドと排泄用の桶がある。耳飾りも指輪もすべて没収されたらしく、飾り気のない夫人を見るのは初めてだ。しかし惨めに思われたくないのか毅然《きぜん》としている。

「できるだけのことはします」

　夫人は答えずに肯いた。額と耳の脇に白髪が目立つ。いつの間に老け込んでしまったのだろう。

「裁判が始まる前に弁護士を探します。そこで無罪を勝ち取ります」

「信じております」

「辛いでしょうが、待っていてください」

「ここを出たら、今度こそご一緒に」

「ご一緒？」

「アレクサンドリアです」

　覚えていてくれたのだ。

「行きましょう。澄んだ青と緑の海を見に。遺跡には波が打ち寄せ、石畳の道を洗っている。そこに太陽の光が反射し、きらめいている。濡れた石の隙間には古代の記憶が刻まれ、眠りから覚めるのを待っている」

　獄吏の咳払いが聞こえた。振り返ると、手に提げた時計を見ている。許されているのはわずか十分。

「先生。続けてください」

「耳をすませば声がする。喜びより悲しみが、幸運より不運が、光に誘われて現れ出でる。海の水は陽に照らされてもなお冷たく、その声を消そうとする。しかし声は語り続ける。聞く耳が消え去ろうとも」

「時間だ」

「気を落としてはいけません」

「もちろんです。ここから出られる日まであちらの夢をみて暮らします。アレクサンドリア。何て素晴らしい響きでしょう。声に出しただけで地中海の光に包まれるようです」

獄吏に引き離され、歩かされる。

「デュペロン先生！　お慕い申しております。獄中にいても、どこにいても」

引き裂かれそうだった。血という血が全身を巡り、抑えきれずに歯ぎしりする。愛か恋かわからない。しかし慕ってくれている。これまでいったい何をしてきたのだ。夫人の胸の内も知らずに。


弁護士を見つけるのは大変だった。革命政府を恐れて誰も引き受けようとしなかった。うっかり弁護すれば、自分も告発され、監獄に入れられる。サロンで一緒だった弁護士も直前になって断ってきた。あれ以来、面会は認められていない。逮捕者が増えているので対応しきれないのだ。

十二月に入っても事態は変わらず、しつこく理由を訊けば裁判が近いためだと聞かされた。どうすればいい。誰にも弁護されなければ有罪判決が下ってしまう。被告本人の弁論など聞いてくれるはずがない。

夜中、寒さに目が覚め、革袋から「智慧の書」を取り出した。適当に頁をめくり、読んでみる。久しぶりのペルシャ語なのですぐに理解できなかったが、それでもところどころ目に留まる。

「大地はこの世に存在するものの精髄である。水は大地の精髄である。言葉は人間の精髄である」

雄大さと力強さに気力が湧いた。

「言葉は人間の精髄である」

忘れていた。自分が弁護に立とう。人間の精髄である言葉を駆使して。メルボワが言っていたではないか。

裁判の日が決まったという。弁護役を申し出ていたので通知があった。二十五日。キリスト生誕の日だ。新聞はイギリスとスペインの連合艦隊に占拠されていたトゥーロン港を革命軍が奪還したと伝えている。陸軍大尉ナポレオンの砲撃作戦が成功したらしい。

当日は朝から風が強く、セーヌ川も白く凍りついた。法廷はコンシェルジュリにつながる建物にいくつか設けられ、それぞれ衛兵が警備している。第五法廷は二階の階段の前だ。

扉を開けると、正面に裁判官たちの壇があり、椅子が五つ並んでいた。手前は傍聴人たちの場所で、左半分は編み物女と呼ばれる野次馬の女や帽子をかぶったサン・キュロットたち、右半分はホテルの関係者やサロンの常連たちが陣取っていた。その中の婦人が振り向き、手を挙げた。クロティルドだ。心配だから応援に行くと言っていた。車椅子のデランドもこちらに気づき、表情を緩める。

「頼りにしてますよ」

「存分に」

知らない人たちだ。前に出ようとして声を掛けられた。

「お義兄さまなら勝てますわ」

「メルボワ伯は？」

「体調がよろしくありませんの。結果だけ伝えるようにと」

「そろそろ引っ越しはどうだね。あの部屋にも飽きただろう」

近づいてきたのは蛇男だった。小柄な上、サン・キュロットの中にいたので気づかなかった。家賃を払う度に会っている。

「なかなかいないんでね。きちんと家賃を払ってくれるお客は。今ならもっといい部屋を紹介できるよ」

デランドの顔は引きつっていた。解雇した男に再会するとは思ってもいなかっただろう。クロティルドは知らないらしいが、不穏な空気を察知して険しい顔をしている。

「それにしてもデュペロンさんが弁護役とは驚いたね。反革命容疑の女のさ。あっちにいる連中はみんなあんたのことを知ってるよ」

「弁護は弁護だ。日々の暮らしとは関係がない」

「ふん。そんなもんかね」

蛇男はふて腐れた顔で野次馬の中に戻ると、小声で何か言ったらしく悪意ある視線が次々とこちらを向いた。

弟の肩に手を置いた時、正面左手の扉が開いて裁判長と陪席判事が入ってきた。黒い帽子に三色旗をあしらった飾りを付け、首元にリボンを結んでいる。全部で五人。陪席判事は四人らしい。そろって壇上の席に腰を下ろしたが、裁判長の席に陪席判事が座ってしまったので、そこだけ立ち上がって入れ替わり、笑いが起きた。五人の後ろには理性の象徴である女神の絵が掛けられ、威厳と公正さを演出していたが、法廷の権威は早くも揺らいだように見える。

デュペロンは弁護役としていつでも出られるよう手すりの際に立った。

再び左の扉が開き、訴追官が現れた。服装は壇上の面々と同じ紺のジュストコールに三色旗の飾りが付いた帽子をかぶっている。分厚い書類を机に載せ、面倒くさそうに部屋の中を見回した。

「弁護人は前へ」

裁判長に促されて出ようとしたが、開くと思っていた手すりが動かない。やむなくまたぐと、左手から野次が飛んだ。

「静粛に」

靴を新調したので足が痛い。貧しい風采《ふうさい》では判事たちに馬鹿にされると言われ、上衣も新しく作らせた。弟とクロティルドの忠告だ。車椅子が評判で、その売り上げで買ってくれた。

ようやく右手の扉が開き、エグモン夫人が衛兵に付き添われて現れた。水色のドレスは薄汚れ、髪はばさばさに伸びている。白髪も増え、目の下の皮膚はたるんでしまった。肩には臙脂《えんじ》色のショールを掛けているが、かえってみすぼらしい。野次馬たちも被告人の惨めさに一瞬同情したようだったが、誰かが「どうせ有罪だ」とつぶやくと、「淫売《いんばい》め」「破廉恥《はれんち》女」などと一斉に罵声を浴びせた。夫人は目を丸くしたが、すぐにうつむき、裁判長や訴追官と向き合う形で中央の椅子に座らされた。

開廷の宣言に続いて被告人の名前が読み上げられ、夫人は立ち上がって返事をした。その時初めてこちらを見て微笑んだ。デュペロンも応えるように軽く肯いたが、夫人は再び座るよう命じられたので視線を交わしたのは一瞬だった。

訴追官はまだ若く、落ち着きがなかった。周囲の目などまったく気にならない様子で、次から次へと書類をめくっている。夫人一人を裁くのによくもそれほど資料を集めたものだ。

「では、被告人の罪について、訴追官」

返事はしたが、訴追官はまだめくり続け、ようやく一枚を抜き出すと、「これだこれだ」と安心したように声を上げた。

「被告F・エグモンは一七八八年四月から市内自宅においてサロンを開催し、ジャコバン、ジロンド、フイヤンなどあらゆる会員に等しく議論の場を提供していたが、革命の進行とともに次第に反革命の性格を強め、われわれ……ジャコバンを排斥するようになり、遂には革命を批判し、妨害工作のために王党派とも通じ、自由と平等の実現のための障害となる役割を自ら選び取るにいたったものであり、当官は革命裁判所に対し、死刑を求刑するものである。以上」

一気にまくし立てると、どかりと腰を落とし、再び別の書類を探し始めた。おかしい。すべて夫人に対する取り調べの書類かと思ったが、そうではないらしい。きょうの法廷で担当する全被告の訴追状だ。あの量は被告人の数を示しており、だからこそエグモン夫人の分を探すのに手間取ったのだ。

「弁護人。弁論を。時間がありませんので簡潔に」

前に進み、まずは正面の壇に向き合った。簡単な自己紹介に続いて夫人との関係、弁護を引き受けるにいたった経緯などを告げた後、サロンの雰囲気について話し始めた。

「……まさに自由という名にふさわしい開かれた場でした。身分の違いも、意見の対立も、初めから許されていました。いや、そもそも問題にされていなかったのです。なぜなら、違いこそが豊かさに通じる唯一の道であると、お互いに認め合っていたからです」

拍手が起こった。右側からだけでなく、左の野次馬からも喝采が聞こえる。

「やがて革命を批判し、王党派と通じるようになったとしても、それが被告人の罪でしょうか。被告人はあくまで場を提供しただけです。さまざまな意見、考えのために、つまりは言葉のために。それが罪というならカフェやレストラン、居酒屋、さらにはこの法廷さえ……、いいえ、法廷は取り消します……つまりほかのあらゆる場所も罪を問われることになりましょう」

「異議あり」

「訴追官」

「弁護人でありながら法廷を侮辱した。別件として告発手続きに入ります」

「裁判長。それについては取り消すと申し上げたはずです。単なる言い間違いです。むしろ言いたいのは、場を提供するだけで反革命罪に問うのは明らかな行き過ぎであり、ましてや死刑の求刑はわれらが誇る人権宣言に反しているということです」

再び拍手と喝采。

「被告人。弁明があれば」

「デュペロン先生がすべておっしゃってくださいました。罪に当たる行為をしたとは今もって考えておりません」

「逃げるのかい」

「卑怯者」

編み物女たちは弁明の中身に関係なく、夫人の発言というだけで野次を飛ばす。

「裁判長」

「訴追官」

「補います。それぞれの行い、あるいは現象に対する評価は法廷が下すものです。従ってここで重要なのは、反革命に当たる行為をしたのかどうかの一点です。繰り返しますが、被告人は明らかにジャコバンを排除し、穏健派や王党派を優先的に招き入れた。これは事実です。この点をお忘れにならないよう。死刑を求めます」

デュペロンはすかさず手を挙げ、反論した。

「穏健派や王党派を招き入れたからといって、それが何でしょうか。彼らに反省させ、目覚めさせる機会を与えたと考えれば、立派な革命的行為ではありませんか。人間は変わります。正しい時もあれば誤る時もある。被告のサロンはその危うさを知るための交流の場であり、それによって考えを深めるための教育的な場でもあったのです。そう考えると、被告の活動は、反革命どころか革命に大きく貢献していたとさえ言えるのではありませんか。被告は無罪です」

「だまされるな」

「口先だけだ」

「傍聴人は静粛に。これにて双方の陳述、弁論を終わります。判決の協議に入ります。休廷」

五人が立ち上がったので退室するかと思えば中央に固まってささやき合っている。裁判長が一方的に話し、陪席判事は肯いているだけだ。早すぎる。こんなやりとりで何が明らかにされたというのか。そもそも密告したのは誰だろう。誰が嫉妬と悪意に駆られて罠を用意し、自由な魂を窮地に陥れたのだ。

右手の扉がわずかに開き、衛兵の顔がのぞいた。次の被告人が待っているらしい。粗雑すぎる。人の命を奪うことに何のためらいもない。彼らの頭にあるのは手続きを進めることだけだ。真偽の判断に関心はなく、決められた手続きに服従することで居場所を確保しようとしている。居場所とは何だ。どうしてその根底を疑おうとしない。

夫人がこちらを見た。微笑んでいる。サロンで見せた孤独の翳りを今は隠すことなく伝えている。

壇上で足音が響き、それぞれが席に着いた。訴追官は次の資料を手に取り、食い入るように読んでいる。

「判決を言い渡します。被告人。前へ」

夫人は立ち上がり、小さくひとつ歩み出た。

「反革命罪と認め、死刑とする」

歓声と拍手が湧き起こった。右からは溜息と落胆の声が漏れたが、弱々しくてほとんど聞こえない。

「静粛に。被告人。最後に言うことはありますか」

夫人は両手を天に掲げて目を閉じた。

「喜びより悲しみが光に誘われて現れ出でる。アレクサンドリア」

場違いな振る舞いに野次と罵声が飛び交った。傍聴人は足を鳴らし、手すりを叩いて不満をぶちまけている。しかしデュペロンの耳には夫人の柔らかな声だけが響いていた。まさかこの場で。あの景色を。

裁判長たちは退席を始め、衛兵は夫人を両脇からはさんで連行した。夫人は逆らうこともなく歩き始め、右の扉に向かっていく。

「エグモン夫人！」

「淫売がギロチン送りだ」

「次の悪人もギロチンだ」

「エグモン夫人！　またお会いしましょう。場所はどこでもかまわない。そこでもう一度サロンを」

「年寄りの片想いだぜ。ぶざまなもんだ」

「先生もたいしたことねぇな」

夫人はこちらを見ようとしたが、衛兵に突き飛ばされて扉の向こうに消えてしまった。

五　一八〇〇年

霧雨はやんだが、周囲は霞《かす》んだままである。これでは薬を瞼に染み込ませても効き目はわからないだろう。

露店でハムとピクルスを挟んだパンを買い、セーヌに向かう。寒いが、出た時くらいは歩かないと足が弱る。

船着き場はなく、橋もない。同じセーヌでもルーヴィエ島より東に来ると、華やかさはない。遠く藁《わら》を積んだ手こぎ舟がゆるゆると滑っている。

土手を下り、いつもの石段に腰を下ろす。革命前はここまで教会の敷地だったと聞いている。ここで日用品や食料を船から引き揚げ、運んでいたのだろう。しかし反キリスト教の嵐で建物は破壊され、使えそうな石材や鉄製品は運び去られてしまった。残る瓦礫《がれき》もほとんどが枯れ草に覆われ、古代の遺跡のようだ。

薬瓶が入った鞄を肩から外し、パンをほおばる。塩気と胡椒《こしょう》の味が口に広がり、もうひとつ買えばよかったと後悔する。しかしすぐに顎が疲れ、口の動きを止めてしまう。

あさっては命日だ。もう七年になる。反革命者を取り締まっていたロベスピエールは独裁を批判され、処刑された。王党派が巻き返したが、将軍ナポレオンがクーデターを起こし、実権を握っている。

政治はたくさんだ。自分こそ優れていると思って恥じない連中の芝居にすぎない。そのためにどれほど血が流れようと、彼らはまったく気にしない。

エグモン夫人。記憶にあるのは明るい巻き毛と一瞬の翳り。そして麗しい声。アレクサンドリア。そうだった。憧れのアレクサンドリアにナポレオン軍が上陸し、カイロを一時占領したのだ。馬と大砲と血と略奪。わずかに残っていた太古の香りはことごとく穢《けが》されたに違いない。

まだある。いつだったかフランス学士院が創設された。王立アカデミーが廃止されて以来の公立の研究機関だ。採用されるかもしれないと密かに期待したが、声はかからなかった。ソルボンヌと縁故がなければ、候補にすら挙がらないことをあらためて思い知った。

エグモン夫人。いつもは忘れているが、この時期が来ると毎年思い出して罪の意識に苛《さいな》まれる。あの法廷で力の限り弁護したとは今もって思っていないからだ。もっと多くの言葉を費やすべきだった。工夫も想像力も乏しかった。権力が書いた筋書きがどれほど強固であっても、言葉の力で崩せるところを見せつけるのが自分の役割だったのだ。

自責と悔恨の日々が続いた。世の移り変わりにも心が動かず、生きていく気力さえ失いかけた。が、長い煩悶《はんもん》は最後の最後で自分を原点に立ち戻らせた。「言葉は人間の精髄である」。それを証立ててみせよう。夫人への弔《とむら》いとして。以来、乏しい収入のほとんどを蠟燭代に回し、昼も夜も机に向かった。遠くの言葉を手元に引き寄せ、一行一行刻み続けた。若い日を思い出した。あの時は野心に燃え、成功を信じていた。今は違う。生涯最後の仕事として完成させたい。そう願っているだけだ。いよいよそれも終わる。

ウパニシャッドのラテン語訳。

風が吹き、寒さに震えた。いや、完成を前に戦《おのの》いたのかもしれない。偉業と言えるからだ。自惚《うぬぼ》れではない。この翻訳によってヨーロッパ人は初めて古代インドの思想に触れることができる。批判はあるだろう。ゾロアスターの時もそうだった。語彙《ごい》の選択やペルシャ語の理解について。しかしそれは後世の研究者が直してくれれば済む。まずは原典に触れ、未知の思想を体験することだ。訳文に誤りがあったとしても、触れるだけで自分の思想を相対化できる。固まってしまった世界観を外から眺め、組み直すことができる。つまりは他者の存在を認め、理解しようという余裕が生まれる。

霧が晴れ、対岸が見えた。土手と石垣、朽ちた工場らしき跡、その向こうには小さな風車。ベナレス。ガンジスに面した死者たちの町。各地から運ばれた遺体が川縁のガートで焼かれ、灰は川に流される。死期を悟った老人や病者も集まり、死が訪れるのを待っている。旅費と時間がなく、行かずじまいである。けれども不思議と訪れたような気がしている。かつて見た銅版画の記憶のせいかもしれない。しかし翻訳を続けるうちにインドを生きた気になっている。

「智慧の書」。そう言って渡された文献には不思議な力がこもっているらしい。いや、少しも不思議はないかもしれない。ペルシャ語に翻訳したムガル帝国の皇子と学者の苦労が刻み込まれているからだ。それは百四十年を経てなお言葉の中に生きている。

立ち上がろうとした時、遠くで音がした。何だろう。低く響いたが、わからない。しばらくして左手に煙らしきものが見えたが、ここからでは判別できない。どうあれ、ささいなことだ。今は何があろうとそう思える。

また目が霞んできた。羽根ペンを置き、薬を染み込ませたハンケチを瞼に載せて目を閉じる。ミントか何かの薬草だろう。効果はすぐに消えてしまうが、しばらくは輪郭がくっきりする。あと数頁。急ぐことはない。

カフェに行こう。二日続けて出歩くのは珍しいが、気持ちが落ち着かない。身支度をして階段を下りる。引っ越したが、屋根裏であることに変わりはない。

デランドの所へはまだ行けない。先週久しぶりに喧嘩をした。商売を理解していたつもりだが、「所詮は金儲けだ」と批判してしまった。デランドは顔を強張らせ、黙り込んだ。傷つけるつもりはなかったが、年を重ねるごとに頑《かたく》なになる自分をどうすることもできない。

そうだ。メルボワの命日もあすだった。エグモン夫人が処刑された翌年のちょうど同じ日に肺炎で息を引き取った。自由に商いができる時代が来るのを楽しみにしていた。あれだけの執着があれば、どこかで生まれ変わっているかもしれない。

裏通りに入り、いつものカフェの奥に席を取る。人目に付かず、落ち着ける。店に住み着いた黒猫が向こうでほかの客に追い立てられ、嫌々戸口の近くまで行って戻ってきた。寒がりなのは仕方がない。

コーヒーを待っていると、隣の席に新聞が置いてあった。誰かが残していったのだろう。今年になって新聞の発行が減らされたという。七十種余りあったのが十そこそこ。発禁となった新聞はほとんど王党派系で、ナポレオンはジャコバンの残党ばかりか王政の復活も恐れていると噂された。

手に取って驚いた。きのうの音と煙はナポレオンの暗殺を狙ったものだった。オペラ座に向かうナポレオンの馬車を爆破しようと、火薬樽を積んだ馬車がサン・ニケーズ通りに仕掛けられた。ナポレオンは通り過ぎた後だったので無事だったが、代わりに通行人二人が死亡したという。

気が滅入るので新聞を戻す。未だに殺し合いが続いている。愚かだ。「智慧の書」を読むがいい。

コーヒーが来た時、声がした。

「今さら教会に行くのも面倒ですわ」

「降誕祭《こうたんさい》といわれても、かつてほど感謝しなくなりましたものね」

柱の向こうで女性客が話している。姿は見えないが、界隈では珍しく上品な話し方だ。表通りにヴェネツィアの本屋が移ってきたのでその客かもしれない。

「パリを離れようと思っておりますの」

「まあ、どちらへ？」

「アメリカに行こうかと。実は主人の兄が向こうでうまくやっているらしくて」

「羨ましいわ。ご一緒させていただこうかしら」

「恋人はどうなさるの」

「アメリカで見つけるわ」

三人組の男客が入って来たので、おしゃべりはとまってしまった。先を聞きたかったので残念だ。アメリカ。関心を抱いたことはない。過去にばかり興味が向いていたので新大陸と言われても乾いた荒れ地くらいしか思い浮かばない。この女性客は本当に行くのだろうか。

それほどこの国が嫌になったのか。殺し合いと密告と嫉妬と陰謀。人間社会である以上、どこの国に行っても同じだろう。罠にはめられることなく、密告に潰されることなく、ましてや殺されることなく生き抜かなければならない。そしてなおかつそこには価値が掲げられていなければならない。

ダーラー・シコー。ムガル帝国の跡継ぎでありながら、異教に理解を示した悲劇の皇子。彼の志がなければ自分の翻訳もあり得なかった。感謝したい。魂から魂への橋渡しができた。

最近訳した箇所を思い出す。

「言葉によっても思考力によっても視覚によってもそれは得られない。それはただ『ある』というようにだけ理解されるべきである」

ここで言う「それ」とは万物のありようだと理解しよう。自分であり、隣の女たちであり、うずくまる黒猫である。いずれもただあり、あったし、これからもある。世界はそうしてできている。それぞれがひとつであり、孤立しているが、それぞれが大きな宇宙の原理の一部だと考えれば、孤立は解消され、大きな原理に支えられる。その原理を古代インド人はブラフマンと名付けた。神ではない壮大な仕組みとして。その原理の前にすべては平等である。誕生し、滅び、変転し、再び生まれ出る。その輪廻《りんね》からの解脱《げだつ》は原理の認識によって可能になる。

目まいがした。自分が今、どこにいるのか、いつの時代を生きているのかわからなくなった。スーラトかポンディシェリかベナレスか。いや、メルボワと再会しているのだとすれば約束通りここは日本だ。見たことも行ったこともない極東の国でコーヒーを飲んでいる。それもいい。キモノを着たサムライを尻目にカフェでくつろぐのはおもしろい。メルボワは彼らにさえ金を貸そうとするだろう。

セーヌ川が凍り、パリ中が寒さで震えていた。一月末。ようやく原稿が完成し、出版社を探して歩いた。昔の伝手《つて》を頼り、足を運んでみるが、どの経営者も「志は買うが、一般向きではない」と首を横に振った。わかっていたことだが、久しぶりにこの世の厳しさを味わった。七十歳。世間から離れ、自分に籠《こ》もっていた罰だろう。

近くを二頭立ての豪華な四輪馬車が走り、追い抜いたところで男が扉を半開きにして身を乗り出した。ダヴィッドだ。にこやかに帽子を振っている。ようやく手を挙げた時には馬車はずっと遠くへ行っていた。

まぶしすぎる。自分など足元にも及ばない。ロベスピエールが失脚した後、同じ一派として投獄されたが、ナポレオンの登場で返り咲き、今は側近の画家と言われている。権力に近づく技はたいしたものだ。

昔、弟の商会に来たことがあった。ロベスピエールが絶頂の頃だ。「最高存在の祭典」のシナリオと演出を任されたので飾り付けの材料を仕入れに来たという。聞き慣れない祭典なので尋ねると、自分にもわからないと答えた。それでよく仕事ができるなと皮肉を言えば、おそらくロベスピエール自身もわかっていないと言った。国王でもキリスト教でもない何かを革命の精神的な支柱として見せるのが狙いであって、実際にそれが何であるかはどうでもいいということだった。後日、聞いた話によると、祭典は大砲の合図で始まり、人々の行列行進の後、無神論や利己主義の偶像が松明《たいまつ》で焼かれ、続いて知恵の女神が現れて共和国万歳が叫ばれたという。絶対王政の否定と無神論の否定。矛盾するのか両立するのかわからないが、いずれにしてもロベスピエールが「新しい神」を作り出そうとしたことは間違いなかった。革命を正当化し、人々の結束を強めるために。

当のダヴィッドはどうだったのだろう。「新しい神」を信じていただろうか。考えられない。「あくまで素材にすぎません」と小声で耳打ちしてくれそうだ。自分の才能を発揮するための場、そのための政治権力。いや、それればかりではないかもしれない。表現者が背負わなければならない宿命を受け入れ、さらにその深みに降りようとしているのではないか。それだけの覚悟がなければ投獄された時点で死んでいただろう。

メルボワなら何と言っただろうか。すでに身体は弱く、話もできない状態で、「最高存在」という言葉すら聞かないままだったかもしれない。元気ならこう言うだろう。国王でもキリスト教でもない神。それは金《かね》だと。人間は金を崇め、拝み、支配されるようになると。そうなるかもしれないし、ならないかもしれない。だが、金が神の座に就けば悪魔も消え失《う》せ、ノートルダムの怪物はただの石になるよりほかはない。

また馬車が来て水の涸《か》れた噴水広場で停まった。降りたのは着飾った婦人だった。続いて髪を付けた貴族風の男も降りてきた。向かいのレストランで食事らしいが、婦人より背が低く、執事か従者に見えてしまう。

こちらを向いて立ち止まった。蛇男だ。いつの間に成り上がったのだろう。サン・キュロットはとうに武器を取り上げられ、ほとんどが徴兵されて戦場に送られているはずだった。どこをどうくぐり抜けて階級を昇ったのか。

「これは先生。お久しぶりで」

「たいした出世だな」

「会う早々に嫌みとは恐れ入ります。先生も出世されたご様子で」

皮肉だ。着ているのは裾がほころびたコート。ズボンもだぶだぶで靴は埃で白くなっている。

「せっかくですからご一緒にいかがです？　先生のお口には合わないかもしれませんが」

「そうさせてもらおう。ちょうど腹が減っていたところだ」

蛇男は驚いて言葉が続かず、婦人も目を丸くしてこちらと交互に見比べている。ざまを見ろ。思ってもいないことを口にするからだ。

「どうせなら兎の肉がいい。アスパラガスとキノコも添えてな」

「先生。まさかその格好で？」

「かまわんだろう。われわれは平等だ」

「せめて着替えてからお越しを。店の中で待っています」

「誘ったのはそっちだぞ。それとも誘いを取り消すか。『社交辞令を本気にされるとは思っていませんでした』とな」

「好きにするさ」

　蛇男は婦人の腰に手を添えて店に向かった。

「ご婦人。その男の正体をご存じか」

「ええ。骨の髄まで。わたくしもサン・タントワーヌの出ですから」

「失せちまえ。負け犬のくせに」

「そうさせてもらおう。これからは君たちの時代だからな」

　二人は得意げに腕を組んで店の扉の奥に消えた。

　雪が舞っていた。寒いはずだ。道端ではスープ売りの女が忙しそうに鍋をかき回し、それを離れた所から孤児の一団が見つめている。噴水池には霜《しも》が降り、行き場をなくした失業者たちが石縁に座って人の行き来を眺めている。音楽も聞こえた。ヴァイオリン弾きだ。鬚面の浅黒い顔はフランス人ではない。アラブより、南インドを思わせる。弓が粗悪なため、音はかすれ気味だが、素朴な演奏がかえって雪の空には合っていた。

　身分は入れ替わる。きのうまでの富者《ふしゃ》が没落し、野心に燃えた貧者が這い上がる。革命とは何だったのだろう。自由。平等。博愛。これだけの理念の実現のためにどうしてあれほどの犠牲が必要だったのか。しかもなお、その理念は実現されていない。人は自由の重みに耐えられず、誰もが不平等に生まれつき、博愛は情緒に終わる。だからこそ理想は大事だと言えるが、だからこそ理想は理想にすぎないとも言える。論争があり、闘争があり、自らふさわしいと考える役者が登場しては舞台の袖に去っていく。誰もが主役になることを熱望し、運よくその座に就いてもすぐにほかの役者に追い落とされる。続くのは舞台だけだ。

そろそろ自分も消えたほうがいいのだろう。選び取った役割は果たし、顔見知りの役者たちはとうに舞台から下りていた。いつまでも残っていては嗤《わら》われる。

出版社はもうひとつあった。図書館時代の知り合いだ。あそこがだめなら諦めよう。

初夏の陽射しがパリを明るくした。セーヌの水面《みなも》は輝き、行き交う舟も陽を浴びて陰影が鮮やかだ。世の中がどうなっているのかわからないが、光が多いだけで街中が生き生きして見える。

いよいよ本が出るという。出版元から知らせがあった。パリではない。ずっと東のストラスブールだ。知り合いに紹介されて原稿を送ったところ、一部経費を持つことを条件に引き受けてくれた。パリの書店に並ぶのはまだ先と言われていたが、知らせが届いてから半月余り経つ。もういい頃だ。

デランドとは仲直りをし、きのうは晩餐に招かれた。

「口の悪さは思いの強さだってことはわかっているんです。けれども正面から言われれば腹は立つ。とても慣れるものじゃありません」

「そんなに口が悪いか」

「ええ。ものすごく。ですから子どもたちは離しておくんです」

冗談とも本気ともつかないクロティルドの言葉に妙に納得した。そう言えばこの家の子どもとはほとんど会ったことがない。

「兄さんが本気にするよ。厄介払いしているみたいでまた叱られる」

「あら、お父さまが生きていた頃はそうだったじゃありませんの。お付き合いが難しくて苦労しましたもの。ね、お義兄さま。悪気があって言っているんじゃありませんの。今なら話してもかまわないと思えるくらい打ち解けているということですわ」

「そんなに気むずかしかったのか。気はつかっていたつもりだが」

「これくらいにしよう。今夜は出版のお祝いです」

けれどもいくら本屋を回っても見当たらなかった。サン・マルタン、サン・ジェルマンの大通りに面した一流店に入ってみたが、結果は同じだった。やはり売れない本は置かれないのだろうか。

カフェで休んだ後、ポンヌフを渡り終えると、小さな店を見つけた。古道具屋らしい。ガラス越しに覗くと大小さまざまな鍋や鋸《のこぎり》が壁から下がり、鎌も立て掛けてある。用がないので行こうとした時、怒鳴り声がして若い男が飛び出してきた。ぶつかりそうになり、身体をかわすと、「失礼」と詫びて雑踏に消えた。低くていい声だった。

「ちっ、これだから兄さんは」

続いて出てきた別の青年と目が合った。顔も声も似ていなかったが、弟であることはすぐにわかった。

「今の男はどちらに行きましたか」

「さあよく見ていなかったな。左に進んだところまでは見届けたが」

青年は溜息をついた。どこの兄弟も喧嘩ばかりだ。

「少しだけ店番をお願いできませんか。すぐに戻ります」

「いや、ほかに回る所があるんだ」

「後でお茶くらい出しますよ。どうせお客は来ませんし」

店先に残され、仕方なく扉に手を掛けた。

見た通りの狭さで、古道具ばかりか燭台《しょくだい》や壁飾りなどの雑貨、瓶に入った色とりどりのお菓子、帽子、地図まであった。奥の壁際には布張りの小さな椅子。これも商品らしいが、後ろに上衣が掛けてあるので店番用だろうと考え、腰を下ろした。

カフェで休んだばかりだが、足の疲れが残っている。見栄《みえ》を張らずにそろそろ杖を使ったほうがよさそうだ。

扉の向こうでは相変わらず人々が行き来していた。膝まである革長靴にビロードの上衣を着た伊達《だて》男、リボンの付いた大きな帽子に扇を持った洒落女。その取り巻きの若造たち。金持ちばかりではない。平たい籠を腰から下げた花売りの女、手回しのオルガン弾き、荷車を引く男と孫のような娘。年寄りも子どもも、男も女も、ありとあらゆる階層の人々が歩いている。

ここも舞台だ。現れては消え、消えてはまた現れる。ブラフマン。普遍の原理。インドの知恵とはこういうことかもしれない。登場と退場を眺め、観察すること。登場と退場に執着せず、あり続ける舞台をこそ見つめること。

その時、地図の上の棚に同じ本が三冊差し込まれているのに気づいた。

「ウプネカット（ウパニシャッド）Ａ・デュペロン」

どうしてこんな店にあるのだ。

立ち上がって引き抜いた。厚く、重みがあり、表紙も中身も真新しい。開くと綴じ目は固く、微かにインクの匂いが残っている。ようやく形になった。これが最後の本だ。

けれどもすぐ落胆に襲われた。ここは本屋ではない。来る客は使い古しの鍋か鎌か、お菓子か帽子を買いに来る。そんな所に並べられて売れるはずがない。どういうことなのだろう。出版と同時に古道具と同じ扱いとは。そもそもどうして正規の書店にないのだ。まさか学士院が手を回しているのだろうか。学士院に属さない者の研究など評価に値しないと。

本を戻し、椅子に座った。嬉しいのか悲しいのかわからなかった。充足感と徒労感が交互に現れ、どちらの気持ちにも浸れない。

考えすぎだろう。学士院にとって自分のような人間はとうに忘れられた存在だ。気が沈むような想像はしないほうがいい。最善は尽くしたのだ。いずれ少しずつでも本屋に並び、理解者が現れる。時間がかかるのは仕方ない。

扉が開いた。兄弟そろってご帰宅らしい。いや、一人だ。それも子どもだ。困った。子どもの相手をするのは苦手だ。

少年だった。十二、三歳だろう。身なりはきちんとし、ブルジョアの坊ちゃんであることはすぐわかる。

癖毛で、大きな目がよく動く。

鋸に関心があるらしい。錆びているが、歯の連なりが珍しいのだろう。壁から下ろしてあげようかと思ったが、早くも興味は鍋に移り、あれこれ品定めをしている。自宅の台所にはもっと高価な器具があるだろう。

「バス　イスト　ダス？」

ドイツ語だ。フランス人ではなかった。

答えに戸惑っていると、「ソレは何デスカ」とたどたどしいフランス語で訊き直した。

「お菓子だよ。何の味かわからんが」

「おいしいデスカ？」

「やめたほうがいいな。いかにも古そうだろう。口に入れたとたん、お腹が痛くなるかもしれない」

少年は笑った。聡明《そうめい》な子だ。素直で、落ち着きもある。こういう子には学問をさせるべきだが、往々にして親は商売をさせてしまう。それでひとつの才能が無駄になる。

「これも売っていマスカ？」

手にしたのは自分の本だった。いくら聡明でも子どもには無理だ。

「もちろん売っているよ。でも坊ちゃんにはおもしろくないだろう」

「どうしてデスカ」

「難しいということだ」

「お爺さん、商売が下手デスネ。さっきから、やめたほうがいいばかり」

「雇われの身なのでね。気に入ったら持っていっていいよ」

「ありがとうございます」

少年は嬉しそうに内ポケットから手帳を取り出し、ホテルの名前を書いて一枚ちぎった。

「ここに泊まっていマス。訪ねてくれれば父が支払いマス」

「わかった。そうさせてもらおう」

「さよなら」

「まだ早いよ。名前を書いてくれなければ訪ねようがないだろう」

「そうでした。すみまセン」

少年はウパニシャッドを小脇に抱えたまま、今度は店のペンを使って丁寧にサインした。

「アルトゥール・ショーペンハウアー」

不思議な響きだった。

初めて見る名前だが、どこかで聞いた気もする。

気がつけば少年は扉を開けて外に出ていた。子どもが一人で店から出てきたので、訝《いぶか》しく思った中年女がこちらを覗いている。

だまされたのかもしれない。身なりの良さはひとつの手口で、店から堂々と商品を盗み、どこかで売りさばくのかもしれない。けれども腹は立たなかった。初めてのお客だ。労作を著者の前で認めてくれたのだ。相手が少年だろうと関係ない。だまされたのなら自分が代金を払えば済む。

再び手帳のメモを見た。

アルトゥール・ショーペンハウアー。

最後の「r」が大きく伸び、ペルシャ語を思い出した。

陽射しが道を照らしている。

兄弟はまだ帰ってこない。ほかに客が来る気配もない。それでよかった。もうしばらく座っていたい。

第三章　予感

売れ残りがさばけない。

眺めが悪い小さな部屋だ。それに最上階。角部屋は売れたが、その間が残っている。広くて内装が豪華でも、一方しか窓がないので敬遠される。入居が始まったので空いたままでは噂になる。

「関心を示したまま遠のいている客に連絡を取れ」

所長命令が下った。新規の客を待つより、効率がいい。

隆《たかし》は引き出しを開け、古い申込書と受け取った名刺の束を広げてみる。ファイル三冊と名刺フォルダー二冊。記入された日付や字の癖を見ると客の顔を思い出す。買ってくれるかもしれないという期待と、買ってもいいかもしれないという客の気持ちが交差するので覚えている。けれども契約に至っていないのにはそれぞれ理由がある。こじ開けるのは難しい。

ひとつあった。ペン書きされたアルファベットの名前と住所。イラン人のアリ。外国人には売れないと所長に言われ、こちらから断った。お詫びにタクシー代を渡したが、「ブジョクですね」と拒まれた。

どうする。今になって頭を下げるのか。それに所長の方針は。確かめれば「同じことを言わせるな」と叱られるかもしれない。オーケーだったとしても、アリには「今ごろ何だ」と怒鳴られるだろう。しかし逃げるわけにはいかない。

立ち上がり、所長室に向かう。ノックしようとして声が聞こえた。白鬼《しろおに》だ。新しいサービスを付けろと談判している。引っ越し代の援助か、カーテンや家具の購入サポートか。そうでもしなければ完売できないと叫んでいる。所長に対する口のきき方ではない。稼いでいるという自負が思い上がりとなって表れる。

「ったく」

出てきた白鬼は憮然《ぶぜん》として言い捨てた。認められなかったのだ。自動車の販売ではない。マンションでそれをやると、次から客が要求するようになり、価格に対する信頼が失われてしまう。

遠ざかる靴音が大きい。床に八つ当たりしている。次の物件の所長ポストを狙っていると聞いたことがあるが、それは彼個人の問題だ。欲求不満をまき散らされては迷惑する。

所長は疲れていたのか「イラン人でも売れ」と答えた。きれいごとを言っている場合ではないともいう。白鬼の後だったのがよかったかもしれない。ひとつ安心する。後はアリ本人だ。

深呼吸して受話器を取る。しかしいくら鳴らしても出なかった。帰国してしまったのだろうか。携帯電話もつながらない。ほかのブースでは社員が電話攻勢を続けている。丁重で強引な声があちこちで聞こえ、ぼんやりしていると怠けているように見える。

ファイルをめくり、目に留まった番号にかけてみる。

「おたくもしつこいね」

「ほかを買ったわ」

次々に断られる。いつものこととはいえ気が滅入る。兄の顔が思い浮かぶ。もう会えないと思っていたが、先週久しぶりに現れ、フランスのデュペロンという学者について語って消えた。「ウパニシャッド」というヒンドゥー教の聖典をペルシャ語からラテン語に翻訳したという。「智慧の書」のことかもしれない。その本と兄の死。仕事に追われ、まだ何も突き止めていない。

再びアリの会社に電話をすると、今度は声がした。日本人の女性だ。社長は成田空港に着く頃だという。イランに行っていたのだろう。用件を伝えると、セールスは結構ですと断られたが、「以前お求めの部屋にキャンセルが出た」と粘ってアポを取る。あすの午後。

「社長は多忙ですからお会いできないかもしれませんが」

「その時は出直します」

「あまり期待なさらないように」

やんわり断られた気がした。

大使館が多い静かな地域だった。立ち並ぶマンションは古いが、一等地なので値崩れはしていないはずである。建て直しより、リフォームの繰り返しで取引されているのだろう。店を構えているのかと思えば、住宅用のマンションをオフィスとして借りているらしかった。指定された部屋番号が一階なので気づかなかった。

追い返されても仕方ない。向こうにすれば終わった話だ。資料を詰めた鞄が重くなり、右から左に持ち替える。

建物は濃茶のタイル張りだった。階段も同じ色のタイルで五、六段上がってエントランスに立つ。ガラス扉の取っ手は大きな円形で、デザインの古さを感じさせる。ちょうど若い男女が出るところだったが、扉を開けて譲ってくれる。礼を言うと「ブカァチィ」という答えが返ってきた。中国語だ。中国人にも親切な人はいる。

次は自動ロックの扉。「よしっ」と気合いを入れて背広に袖を通し、インターホンを押す。きのうの女性の声がして扉が開く。右に折れて四軒目。

「ご無沙汰しております。帝国不動産販売の滝川《たきがわ》でございますが」

「驚きマシタ。今ごろになって」

本人だった。ストライプのシャツの袖をまくり、シルバーのブレスレットが光っている。ドアが大きく開いたところを見ると、拒まれてはいないらしい。

「突然申しわけありません。帰国早々、押しかけまして」

「キコク？　わたしには出国」

「失礼いたしました」

通されたのは七畳ほどのダイニングルームだった。振り分け型の古い間取りで、見たところ六十平米くらいだろうか。エアコンが効いていて気持ちがいい。

女性がアイスティーを出してくれる。秘書だろう。アリより年上に見える。プライバシーに立ち入らないように注意しながら世間話をし、本題に入る。

「以前ご案内したお部屋がキャンセルになりましたので、あらためてうかがいました」

「あそこはいいデス。もう終わったこと」

ぐさっと来たが、笑みを浮かべて応答する。

「残念です。ぜひアリさんにと思ったものですから」

白々しい台詞《せりふ》が嫌になったが、負けまいと言葉を続けた。

「ほかにどこかお決めになったのでしょうか」

「いえ、まだです」

「お買い求めのご予定に変更は？」

アリは背もたれに身体を預け、顎の下で指を組んだ。

「もっと高いところがいいデス。お金じゃなくて、上のほう」

「と、おっしゃいますと？」

「高いところは値段も高いでしょ。でも見たいデス。あそこはベンリだから」

聞き間違いかと思った。怒鳴られるどころか、高額物件に関心を示してくれた。驚いているのを悟られないように慌てて「ありがとうございます」と頭を下げる。

パンフレットを見せると、最上階の２ＬＤＫが気に入ったという。４５０５号室。リビングは二十八畳。スカイジャグジーはないが、風呂はバルコニーに面していて眺めもいい。聞けば、本国でいろいろあってあれ以来物件を探していないという。今回の日本滞在は一カ月で、すぐに上海に行かなければならないとも言っていた。

「お忙しいんですね」

「運が向いてきました」

　中国で宝石のビジネスがうまくいっているとちらりと明かした。絨毯以外にも手広くやっているのだ。オフィスとして使うのではなく、投資用に切り替えたのかもしれない。どうあれ心強い。

　先約が入ってないか携帯で事務所に確認する。すぐにわかるかと思えば、いったん電話を切って待たされる。

　アンティークの飾り棚に目を向ける。入った時から気になっていた。小さな石板のレリーフ。左右に翼が広がり、中央に男が横向きで立っている。男は身体が鳥と同化していて足元は鷲《わし》の尾のような羽根に包まれている。

　何の像か訊こうとして携帯が鳴り、その部屋は手つかずと伝えられた。アリの都合を聞き、一週間後に現地案内の約束を取り付ける。

「今度は大丈夫ですネ」

「もちろんです」

「神サマが幸運をくれたようデス」

「神さま？」

「あれです。アフラ・マズダ」

「そう言えば前にも」

「覚えてましたか」

身を乗り出してよく見ると、翼には羽根が一枚一枚丁寧に彫り込んである。神さまは右手を上げて指を伸ばし、左手は輪のようなものを持って差し出している。

「位を授けているところ」

「誰にです？」

「ダレイオス。古代ペルシャの王サマ」

王位は神によって授けられる。支配を正当化する便利な理屈だ。王権神授説はどこの歴史にもあるらしい。

「ゾロアスター教の善い神サマもインドではアシュラという悪い神サマにされました。ヒンドゥーの神サマの敵です。よそものは嫌われマス」

以前言われたことを思い出していると、さらに続けた。

「エクリプスはどうして起こるか知っていますか」

「エクリプス？」

「太陽とか月とかが、だんだんに小さくなっていくやつデス」

「日蝕《にっしょく》と月蝕《げっしょく》ですね」

「言い伝えでは、アシュラが空に住むヒンドゥーの神サマの家を攻めた時、太陽とか月とかをつかんだのが始まりとされてマス。アシュラ、つまりアフラ・マズダは乱暴で戦い好きということにされたのデス」

「悪く見せるために」

「そう」

不思議な話だった。神さまのことだ。しかしいかにも人間ぽい。いや、神さまが人間に似ているのではなく、人間が自分たちの反映として作ってしまったからこそ似てしまったのだ。人は未だに悪者を作ろうとする。自分たちを善い者に仕立てるために。排除の構造は今も昔も変わらない。

「アリさんのような方に買っていただければ本当に嬉しく思います。何から何までよくご存じでいらっしゃるし」

「だってわたしは生きていたんデス」

「生きていた？　古代ペルシャに？」

「冗談です。そしたらお化けネ」


「聞いてるの？」

妻が食器を片付けながら振り返る。

「太一《たいち》のことだろ」

「向こうにそう言われると辛《つら》いのよ。こちらも何か考えないと」

「しょうがないじゃないか。わざとやったわけじゃなかったんだし」

「でも、向こうはそう思っていないわ」

学校でふざけていてクラスの男の子を突き飛ばしたという。太一は遊びのつもりでも、相手は教室のガラスにぶつかって肘を切った。ガラスが割れて出血もひどく、救急車で運ばれた。血管と神経は無事だったが、二針縫ったらしい。けれども太一は「そんなに力を入れてない。相手が自分で突っ込んだんだよ」と繰り返した。じゃれ合いの中だから何とも言えない。返事に困っていると、太一はそれきり口をつぐみ、部屋で寝てしまった。

「何がいいかしら。クッキーくらいが無難よね。あまり高い物だと嫌みに取られそうだし」

「こっちが全面的に悪いみたいだな」

「あとになっていろいろ言われるのは嫌でしょ。けじめをつけておかないと」

「もしかしたら太一の言っていることは本当かもしれないな」

「向こうが自分から?」

「大げさなリアクションで笑いを取ろうとしたのかもしれない。それで行き過ぎてぶつかってしまったんだ。本人も怪我をするとは考えていなかっただろう」

「その子、そんなことひと言も言ってないわ。全部こちらが悪いみたいに。先生もそうだったし」

「騒ぎになったので引っ込みがつかなくなったんだ。親や担任に囲まれれば被害者でいられるし、そのほうが同情してもらえる」

「太一がかわいそう。それに何だかゆがんでる」

そう思う。突き飛ばされたことを利用して自分を傷つけ、それで受けを狙うとはテレビの芸人みたいだ。しかしそれもその子なりの知恵かもしれない。クラスの仲間に受け入れてもらうための。

二階に上がり、部屋の前に立つ。電気は消えているが、眠っている様子はない。静かにドアを開け、中に入る。

急に寝息が聞こえた。寝たふりだ。

何も言わないほうがいいのだろう。太一は葛藤の中にいる。まだ人生の入り口だ。少しずつ学ぶしかない。そうして少し強くなる。

どの営業マンも苦労していた。会議室での経過報告。離れていた客をどこまで呼び戻せたか。そのうちどれほどの客から好感触を得ているか。互いに全体状況を把握するのが目的だが、これでは値引きという禁じ手もいずれ浮上してくる。

報告を聞きながら太一のことを考えた。きょうは学校へ行かないかもしれない。行けば悪者にされてしまう。相手の子は来るだろう。包帯を巻き、腕を吊っていればヒーローだ。「救急車ってどんな感じ？　縫う時の麻酔は？」。いつもは注目されない子どもでも、この時ばかりは人気者になる。太一はどうだろう。すぐにキレる危ないやつ。加減を知らない乱暴者。居場所がなくなり、教室の隅で小さくなっているしかない。隅ならまだいい。たしか太一の席は一番前だ。後ろからいろいろな声が襲いかかる。陰口。悪口。仲間はずれ。あの小さな背中がそれに耐えられるだろうか。

「ということで、大きな貢献ができると思います」

拍手と歓声に気がつくと、説明を終えたのは白鬼だった。うまくいっているらしい。得意なくせにそうでない顔をしている。自己抑制が利いているのは、ここの誰もが賞賛しているからだ。評価されることが支えであり、支えられて初めて満足と安定を手に入れる。周囲の反響で自分の位置を確認するとはコウモリみたいだ。

「４５０５ならすごいわ。利幅も大きいし」

「４５０５？」

隣の派遣女性は「聞いていなかったの」という顔で前を向く。

ホワイトボードを見て驚いた。その数字の上に商談中を意味する緑の丸が貼られているではないか。あそこはアリの部屋だ。

気がついた時には手を挙げていた。

「申しわけありません。確認させてください。あの部屋は商談中ということでよろしいのでしょうか。あそこです。４５０５です」

「説明があったばかりだろう。即金で決まったと」

司会役は不快そうな顔ですぐ次を指名し、別の報告が始まった。けれども何も耳に入らない。暗澹となり、気持ちがどこまでも沈んでいく。白鬼の客。しかも即金。いつの間に取られたのだ。アリとはまだ見学のアポしか取っていない。あの時点で押さえは入っていなかったはずである。ローン審査がなければ手続きは早く済むが、まさか即金でやられるとは。アリにはどう説明すればいいのだろう。「今度は大丈夫か」と念を押され、「もちろん」と答えてしまったのだ。

これを失態という。早い者順なので手落ちではないが、顧客にはそう見える。情けない。期待させておいて二度も裏切ることになる。

自分の番が回ってきた。悔しいので４５０５は素通りした。すると話す材料は何もなく、「努力する」と答えて終わってしまった。

約束はきょうの午後二時。静かに会議室を出て机に着く。顧客リストと電話のボタン。眺めていても目が泳ぎ、表面を滑っていく。しかし現地に来てもらっては申しわけない。

業務用の携帯を出して履歴を探す。わずか一週間であちこちにかけていた。しかも全員に断られている。その中の唯一の望みだった。

ようやくスクロールして番号を押すと、「行く」という。買えなくても中を見学したいという。落ち着いた声だった。怒っている様子はない。予定していた時間が空いても困ると言った。

ほっとして妻にメールをする。

「太一は学校に行ったのか」

しばらくして返事が来た。

「溜息ばかりついていたけど、時間になったら行きました。これからクッキーを買ってお詫びに行きます。夕飯は未定」

きょうは夫婦そろって謝罪の日だ。


「いい眺めデス」

黙って肯く。すまない気持ちで自然と口数は少なくなる。

柱の部分には鏡が張られ、広い部屋がさらに広く見える。ここまで高いと、周囲の建物はまったく気にならない。

アリはリビングの窓辺に立ち、白い空を眺めている。雲が厚く、陽射しはそれほど強くない。それでも眼鏡の奥の目は時折まぶしそうに力んでいる。

「人は死んだらどうなりマスカ」

突然なので答えられない。

「審判の日が来て裁きを受ける。それが宗教の教え。天国か地獄か。でもそんなの嘘デス。土の中で腐るだけ」

アリは一瞬こちらを見てまた空に目を向けた。

「お兄さんが死にました。帰ってたのはそのため」

驚いて何も言えない。どうしてどこも兄が死ぬのだ。何かの事故だろうか。若いので病気は考えにくい。

「あの国でプロテストは許されマセン」

「プロテスト？」

「そうです。熱狂的な人たちは恐いデス」

アリは窓を離れてキッチンに移動し、収納扉をひとつひとつ開いた。レンジまわりや冷蔵庫スペースを確認した後、カウンターの大理石に指を滑らせている。

「どこの石デスカ」

「申しわけありません。ご関心があれば調べます」

「たぶん中国。だって近いでしょ。とても綺麗ですネ」

「ありがとうございます」

アリはカウンターに両手を突いて再び外を向いている。何を見ようとしているのだろう。兄の面影だろうか。熱狂的な人たちは恐いと言った。病気ではなく、何かに巻き込まれたのだろうか。

「差し支えなければ、お兄さんのお名前を教えてくださいませんか。わたしの兄もだいぶ前に死んだものですから」

今度はアリが驚いた顔をした。そんなところに共通点があるとは意外だったのだろう。小さく手を広げ天に向ける。弔意《ちょうい》を表してくれたらしい。

「カスラヴィーと言いマス。立派な人でした」

「謹《つつし》んでご冥福をお祈りします。カスラヴィーさんに」

意味はわからなかったようだが、名前を言ったので気持ちは通じたらしい。その証拠に眼鏡の奥が少し和らぐ。

「わたしのほうの兄はとても立派とは言えませんが」

「どうしてデスカ」

「ただの外れ者かもしれないですから」

「ハズレモノ？」

「変わり者というか、普通の人たちとは違う人生を選ぶタイプという意味です」

「それはいいことデショ」

部屋が少し明るくなった。太陽を隠していた雲が薄くなったせいだ。兄がいたら何と言うだろう。

アリとは不思議な縁を感じる。このイラン人は怒ることがあるのだろうか。人を叱責し、詰《なじ》ることがあるのだろうか。穏和で知的で、自分にはほど遠いが、それでも同じ哀《かな》しみを知っているような気がする。売ってあげたかった。今さら遅いが、ほかにできることはない。

「こんな話の途中で申しわけありませんが、よろしければほかをご案内いたします。最上階にはまだ空いている部屋がございますので」

黙ってしまった。呆れているのだ。突然商売の話か。買うと言っているのに売らないのはそちらではないかと。はっきりそう言ってほしい。落ち着いた眼差《まなざ》しはかえって辛い。

「こちらの手違いが続きましたことは申しわけなく思いますが、お詫びの意味も込めてご案内させてください。何でしたらほかの物件もご紹介いたします」

言った後で罪悪感に襲われる。人の死より、金儲けを優先させた。人間の根幹を穢《けが》し、神聖な感情を踏みにじってしまった。今までの自分ならもう少し間を置いて顧客の気持ちを推し量っただろう。それは得意だったはずだ。しかし動揺している。余裕がない。失態が続いたせいだろうか。それとも二人の兄の死のせいか。

「お兄さんは幸せだったはずデス。わたしのお兄さんもそう。自分の人生を生きたから」

正視できずに床を見る。スリッパはブランド物で真新しい。床材は桜で明るく清潔に仕上がっている。自分は何をしているのだろう。親切を装って売ろうとした。いや、商売を忘れたからこそ売る気になった。善意と商売が重なり、偽善と真心の境界が見えなくなった。

声がした。玄関だ。アリに会釈し、小走りで向かう。

白鬼が引きつった顔で立っていた。

「どうしてここにいるんだ」

怒りを押し殺した黒い声。答えなければと思いながら、混乱していて反応できない。

「おい。何とか言えよ」

「お客さまのご案内で」

「お客さまはこちらだろ」

半分閉じかけた玄関扉の後ろに家族連れらしき人影が見える。小さな子どもの声もする。

「いいから早く出ろ」

白鬼は声を震わせると、紙袋から予備のスリッパを出して並べ始めた。

案内くらいかまわないではないか。言おうとしたが、口にできない。たしかに微妙な時期だった。残金の支払いと登記はまだだろうが、ローン審査がなければ手付金としてかなりの額を払っているはずである。とすると、ほかの客を案内するのは好ましくない。

白鬼は蔑《さげす》むような視線をぶつけてくる。だめ社員。よそから来たお荷物野郎。動悸がする。冷や汗も出る。

「わかりました。呼んできます」

振り返ると、すぐ後ろにアリがいてぶつかりそうになった。事態を察知し、帰る用意をしている。

「申しわけありませんが、ほかのお客さまがお見えになりましたので」

「そうデスネ」

アリは先に靴を履き、扉を押す。

「びっくりしたぁ」

子どもだ。続いて何か聞こえた。中国語のようだ。

呆然《ぼうぜん》としたまま靴を履き、アリを追って外に出る。待ちきれないというように子どもが飛び込み、後ろで祖父母らしき二人が叱っている。しかし笑顔だ。若い母親は携帯を覗いていたが、先客が出たので片足ずつサンダルのリボンをほどいて中に消えた。

アリはエレベーターの前にいた。内廊下なので外の明かりは入らず、天井のスポットが硬い光を投げている。壁は木目調の化粧板で、床には消音のためグレーのカーペットが敷かれている。

言葉が浮かばない。自分は善人なのか、悪人なのか。気高いのか、卑《いや》しいのか。それにこの感情は何だろう。自己嫌悪と敗北感。兄のようにはなれず、白鬼のようにもなれない。

「堂々としていろ」

兄の声だ。

「だめだ。もう限界だよ」

「情けないことを言うな。乗りこえたはずだろう」

「何かが解決されていないんだ。それが僕を苦しめるんだ」

「だったら解決すればいい。そこに我が身をさらしてみろ」

「そこってどこ？」

「決まっているだろう。ここだ。インドだ」

気がつくと、アリはエレベーターに消えていた。

第四章　信頼

一　一六五六年　デリー

象は二頭とも静かに立っていた。またがった象使いが鉤《かぎ》で耳の後ろを刺激したり、首の脇を蹴ったりしているが、象は椰子《やし》の葉のような耳を開いては閉じるだけで、戦うどころか相手に鼻を向けようともしない。

「見ていられんな」

「疲れているのです。三日も続けば戦意をなくしても仕方ありません」

「象ではない。象使いだ」

ジャハーンは天蓋《てんがい》の下で目を光らせ、嚙み煙草の葉を足元の皿に吐き捨てた。すでに葉は山と積まれ、底に刻まれた銀の模様は隠れている。

「手ぬるすぎる。主人が誰か思い知らせねばならんのに」

察知した従者が怒気を鎮めようと孔雀《くじゃく》の羽根の大団扇《おおうちわ》を強くあおいだので、ジャハーンの薄衣《うすごろも》は柔らかな波を作り、湿った風がここまで届いた。

まだそれほどではない。父は無口になった時がもっとも恐い。目配せひとつで処断してしまうからだ。追われた者たちは二度と姿を見せず、いつの間にかその家族も消えている。投獄か処刑か。あるいは宮廷からの追放で赦《ゆる》されるか。すべてはムガル皇帝の気まぐれで決まる。

シコーは、筋肉の盛り上がった従者の黒い肩に汗が光るのを見てから再び闘象場に目をやった。象使いは何とか戦意を駆り立てようと努力を続けているが、象はお互いを避けてすれ違い、土壁に阻まれて立ち尽くしている。

「主人が誰なのか思い知らせるのだ」

ジャハーンの合図で太鼓が叩かれ、喇叭《らっぱ》が吹き鳴らされた。天幕の屋根は風にふくらみ、地面につないだ綱が張る。幔幕《まんまく》も風を受けて大きく揺らぎ、支柱を軋《きし》らせる。低い位置に陣取った楽隊は戦意を高める旋律を繰り返し、後ろに控えた女官や宦官《かんがん》たちもいよいよ始まると身を乗り出す。

一頭が鼻を垂らしたまま場内を回り始めた。連勝しているほうだ。勝者の印として紅の絹を胴と頭に垂らしている。

興奮が高まるとともに歩調は速くなり、地響きと土埃が舞い上がる。象使いもさらに鉤を振るい、戦いへと仕向けていく。

一方、連敗中の象はまだ戦う気を見せていない。真ん中に立ちすくみ、回る敵をうかがうように時折鼻を動かすだけだ。

「勝敗の結果は象使いに引き受けてもらう。象は貴重な財《たから》だから無駄にできん」

「象使いも財でございます。あそこまで操れるようになるには何年もの歳月が必要と聞きました。余興にございます。何とぞ穏便に」

「負けたくらいで首を刎《は》ねるつもりはない。しかし赦してはしめしがつかん。帝国の存亡にもかかわる」

　極端な言葉に向こうに控えていた従者の一人がこちらを向き、シコーと目が合うと慌てて下を向いた。間諜《かんちょう》だろう。ムガル帝国の敵ではないが、帝位を狙う弟の一人が密かに紛れ込ませているのだ。シコーは低い声で父に伝えた。

「帝国の存亡はひとえに異教徒との融和にかかっております。帝国に服したいずれの地域も、もとはと言えば異教徒の土地です。融和と共存なくして安定はありません」

「もうよい。聞き飽きた。お前に跡を継がせようと考えておるのに、いつまでもそのようでは難しくなるぞ」

「申しわけありません。しかしわたしたちムスリムは」

「そら立て」

　見ると、立ち尽くしていた象が脇腹を攻められ、後ろ足を曲げて腰を下ろしてしまった。興奮した象は頭を低くしてなおも頭突きを食らわせ、気弱な相手を攻めている。勝敗は明らかだ。

「まだ赦さんぞ」

ジャハーンの叫びに闘技監督は旗を振ることができず、旗が振られなくては爆竹も鳴らせない。暴走した象を止めるには火薬の音で驚かせるのだが、苛立った父の命令には背けない。

攻めていた象がいったん離れ、こちらを向いて仁王立ちになった。勇ましい姿に歓声が上がり、ジャハーンも「褒美を取らすぞ」と嬉しそうに叫んだ。が、首にしがみついていた象使いが力尽きてずり下がり、大きな背骨にはね返されるようにして仰向けに転げ落ちてしまった。

「危ない。逃げろ」

歓声が悲鳴に変わった。邪魔者を払い落とした象は鼻先で象使いをもてあそんだ後、それに飽きたように前足で踏みつぶした。

「愚か者め。勝っていたものを」

ジャハーンは冷徹に言い放つと、噛み煙草を再び口に入れ、玉座に深くもたれた。闘技監督は旗を振ってよいものかこちらをうかがっているが、ジャハーンが無視しているのでどうすることもできない。

その時、腰を下ろしていた象が立ち上がった。象は倒れた象使いに歩み寄ると、頭から足先まで匂いを嗅ぎ、頭を上げて周囲を見回している。「いつまで続ければいいのだ」。シコーにはそう聞こえた。余興とはいえ、三日続けて同じ象と対戦し、死者まで出たのだ。

と、勝ち誇っていた象が向きを変え、負けていた象に突進した。今度は負けていた象も受けて立ち、頭で押し返そうとしている。土煙が上がり、巨体がぶつかる鈍い音が響く。残っていた象使いは転げ落ちないように身を守るのに必死だ。

妙なことに気づいた。負けていた象は死体から離れず、四本の足の間に置いて守っているように見えた。気のせいだろうか。相手の攻撃が激しいので動けないだけかもしれない。けれども見れば見るほど、死体をまたいで守っている。

「きのうは象使いが逆だったからな」

宦官の声だ。

「まさか覚えていないだろう」

「いえ、あれはどう見ても守っているわ」

侍女《じじょ》たちも加わり、不思議な象の行動に注目が集まった。

「それまでだ」

ジャハーンの声に音楽が止まり、終了を告げる銅鑼《どら》が打ち鳴らされた。闘技監督は待っていたように旗を振り、奴隷が爆竹に火をつけて投げ入れた。戦闘用に訓練されていても足元で音が続くと一瞬動きが止まる。その隙に控えていた象使いたちが駆け込み、暴れていた象の前足に鎖の付いた鉄の輪をはめた。象はあきらめたようにおとなしくなり、逆らうこともなく丸太の門から出て行った。続いて死体が運び出されると、残っていた象も鉄の輪をはめられて退場した。

後味の悪い幕切れだった。象使いが死ぬのは珍しくない。一人が落ちた時に備え、あらかじめ二人がまたがることもある。戦意が失せた象を無理に戦わせようとしたのがそもそもの間違いだった。三日連続で同じ象同士を戦わせたジャハーンの気まぐれこそ責められるべきだ。

「どうしていいかわからないのだろう」

シコーは父の胸の内を想像した。帝国の領土が思うように広がらず、強引に従えた地域では役人の腐敗と在地勢力の抵抗で税収が割り当てに達しない。さらに雨不足もあって農村は荒れ、農作物の価格が高騰している。三代目アクバルが帝国の基礎を確立してからおよそ百年。栄えてはいるが、安泰とまでは言い難い。

「輿《こし》をととのえましてございます」

従者に促されてもジャハーンは立ち上がらなかった。皇帝が退席しないと宦官や女官は動けない。

「夕方の湿気はお身体にさわります。父上、そろそろまいりましょう」

「まだすべて仕上がっていなかったことを思い出した」

「何のお話です？」

「決まっているだろう。妻の廟《びょう》だ」

タージ・マハルのことだ。母ムムターズが他界したのは二十年以上も前である。妻を深く愛していたジャハーンは、冥福を祈るため、すぐに巨大な墓の建設を命じた。場所はアーグラのヤムナー川のほとり。白大理石をふんだんに使い、ペルシャやイタリア、ポルトガルなどからも職人を集め、ようやく三年前に完成した。建設にかかわった労働者は延べ二万人、建設費の総額は宮廷も把握できないほど莫大だ。それでもまだ仕上がっていないという。

「あれ以上何を付け加えるおつもりですか」

「タージ・マハルは対《つい》になって初めて完成するのだ」

「対とは」

「黒大理石でもうひとつ同じものを造らせる。対岸にだ。それを橋で結ぶ」

「途方もないことです。何のためにそのような」

「わしが入る」

驚いた。タージ・マハルの建設だけで約二十年かかっている。それを今からもうひとつ造るとなると、完成するのは二十年後。ジャハーンは八十半ばとなり、生きている保証はない。

「そのお話はまたの機会に」

シコーは小声で言うと、ジャハーンに立ち上がるよう手を差しのべた。

「見てみたいとは思わぬか。白亜《はくあ》と漆黒《しっこく》の夫婦の霊廟《れいびょう》を」

「もちろんです。しかしながら今の帝国にそれだけの余裕はありません」

「つまらぬことを言うな」

ジャハーンはシコーの手に軽く触れただけで立ち上がり、何も言わずに輿に乗ってしまった。つまらないのは承知している。父が建築狂であることも知っている。しかし財がなければ国は傾く。長男として信頼されていると思えばこそ率直に告げたのだ。弟たちなら何と言っただろう。とくにデカン総督の三男オーラングゼーブ。父から武人の資質を受け継ぎ、遠征では戦果を挙げている。「すぐにも着工のご命令を。税率を上げれば財源はいかようにもなりましょう」。こう答えて父の機嫌をとったかもしれない。

シコーは女官や従者たちが退出するのを眺めながら、自分は皇帝にふさわしいのかどうかと自問した。今の役職はパンジャブ総督。父の信任は厚く、帝国全域を見渡すため、現地に赴かずにデリーの宮廷で過ごすよう言われるほどだ。

けれどもそれほど帝位に惹かれなかった。本を読みたい。絵に触れたい。この世のことより、この世以上のものを求めていたい。もちろんそれが通用しないことは承知している。帝位を奪い取らなければ殺されてしまうからだ。父が帝位に就いたのも兄弟の争いに勝ったからだと聞いている。勝った者が残り、敗者は消える。それがムガルの伝統である。だからこそ今も四兄弟が互いに疑心暗鬼になり、隙あらば優位に立とうと宮廷に間諜を送り込んだり、密書を交わしたりしているのだ。

「お父さまは何ておっしゃったの？」

姉のベーガムだった。兄弟姉妹では一番年上だ。ほかの女たちは引き揚げてしまったが、わずかな侍女と残っていて人が離れた隙に訊いてきた。

「ご自分のお墓の話です」

「お母さまの所に一緒に入ればよろしいのに。どこに造るおつもりかしら」

「川の対岸に黒大理石で。同じものを」

ベーガムは笑いながら手で払う素振りをしたが、薄絹のチャドルをかぶり直してすぐに顔を引き締めた。

「でも、本気だとすると一大事ね。死を予期していることになるから」

「ですからまたの機会にと申し上げました。外でするような話ではありません」

ベーガムはチャドルの陰で周囲を見渡し、さらに顔を近づけた。

「怪しいのが混ざっているわ。用心しないと」

「わかっています。従者に一人」

「ローシャンの手先よ」

「おそらくは」

ローシャンは二人には妹だが、オーラングゼーブからみれば一つ上の姉で、弟のために密かに宮廷の情報を送っている。一度、オーラングゼーブからの返信が使者の手違いでベーガムの部屋に届けられ、発覚したのだった。書かれていたのはシコーへの憤懣《ふんまん》だった。「どうして兄だけ宮廷にいられるのか。長男というだけで特別扱いされるのはおかしい。よほど取り入る術に長《た》けているらしい」「お勉強より、政《まつりごと》に専念なさい」等々。

ベーガムの目は真剣だった。言いたいことはわかっている。このところヒンドゥーの思想書を読んでいる。神を理解し、近づくためだ。イスラムだけでなく、異教にも学ばなければ深いところまで迫れない。さらに知識を広げようと、ユダヤの学者やキリスト教の宣教師を招いて話を聞くこともある。そのようなことにうつつを抜かしているうちにオーラングゼーブが挙兵でもしたらと気が気ではないのだろう。この自分に賭けているのだ。シコーが勝利すれば自分の身は安泰だと考えている。皇女は殺されることはないが、皇帝と敵対していれば生涯独身のまま王宮に閉じ込められる。そんな人生を望むはずがない。

「政は政。神は神です」

「本気なの？　それでは戦いに勝てっこないわ」

「勝てなくてもいい」と言おうとしてやめにした。反論されるに決まっている。

闘象場には奴隷たちが現れ、掃除を始めたところだった。大きな足跡と削られた土が一面に凹凸を作り、屎尿《しにょう》が乾いて固まっている。

「象使いが哀れです。戦《いくさ》ならまだしも余興で死ぬとは」

「遺族には弔慰金《ちょういきん》が出るはずよ」

「魂の問題としてです」

「お金が出たことを知れば本人も安心するでしょう」

「救われると？」

「知らないわ、そんなこと。それより自分のことを考えなさい。うまくやらないと取り返しがつかなくなるわ」

ベーガムはそう言って遠ざかった。

奴隷たちは上半身裸で、大きな笊《ざる》に糞を取り、鋤《すき》で荒れた地面をならしていく。白い肌もいれば焦げ茶も黒もいる。頭にターバンを巻いた者もいれば髪を伸ばしたままの者もいる。

それが夕陽に当たれば同じように光に映え、同じような影を作っている。戦いか神か。どちらを選ぶべきか誰も答えてくれないだろう。今の宮廷でこんな問いを背負っているのは自分だけだからだ。


「油を足すように言いましょう」

「あすでいい。もう少しで読み終わる」

妻のナディラが気を利かせてくれるが、中断されるのは嫌だった。読んでいるのはヒンドゥー教の聖典ヴェーダの一節。サンスクリット語は得意ではないが、慣れればおよその意味は取れる。

「では、もう少し芯を」

妻が火皿から芯を引き出そうとしたが、短すぎてぽろりと落ちてしまった。急に部屋が暗くなった。壁も石に敷かれた絨毯も闇に沈み、灯りが置かれた出入り口の周囲だけほのかに明るい。

「いつもはうまくいきますのに」

「余計なことを」

「目がお疲れになると思っただけです。ですからそんなに恐いお顔をなさらないでください」

「邪魔をするからだ」

「でしたらいつもの部屋でお読みになればよろしいのに。寝室まで本を持ってこられてはわたくしの居場所がありません」

ナディラは苛立った口調で侍女を呼び、灯りをいくつも運ばせた。言われてみればそうだった。中庭を隔てた向こうに書斎がある。窓が大きく、月明かりも射し込む。長椅子には繻子《しゅす》のクッションが並び、葡萄酒の用意もある。どうして今夜に限って寝室まで本を持ち込んだのだろう。

宮殿で晩餐を共にした後、ヤムナー川に面した屋敷に戻り、礼拝を済ませてから書斎に入った。しかし父の言葉と姉の心配が気になり、本に集中できなかった。神に向かえば向かうほどこの世から離れ、いざこの世に心を向けようとしてもうまくいかなくなる。反対にこの世のことを考えてしまうと、神に心を向けようとしてもうまくいかない。今夜は後者だった。父と自分たち兄弟の今後を考えすぎ、神から遠ざかってしまった。それで本を持ったままここに来た。妻は乾燥させた薔薇の花びらを枕に詰めたり、出したりしていた。高さが微妙なので侍女にはやらせない。見ていても仕方ないので再び本を開き、気がつけば集中していた。

「さっきより明るくなりました。続きを読んでください」

「お前はどうする」

「珍しい。心配していただくなんて」

「俺がいると居場所がないと言っただろう」

「悔しかっただけです。せっかくの好意を悪く言われましたから」

シコーは運ばれた灯りの炎を見てヒンドゥー教の祭祀《さいし》を思い出した。旧都アーグラにいた時、バザールの隅でやっていた。地面を小さな四角で区切り、その中で火を焚く。刻んだ香木《こうぼく》を投げ入れ、立ち上る香りが周囲に敷き詰めた花の色をさらに濃くした。執り行うバラモンは白い布を片方の肩に掛けただけの裸同然の姿で、額に赤い徴《しるし》をつけ、集まった信者たちに呪文を唱えていた。イスラムにはない儀式だが、聖なるものの存在を感じたのを覚えている。

「父上がもうひとつ造りたいと言うのだ」

「何をです？」

「廟だ。母上と同じものを川の向こうに。それを橋でつなぎたいと」

「お義父《とう》さまらしい。考えが雄大ですもの」

「金を集めるのは容易ではないぞ。どこの地域も表向きはムガルに従っているが、ひとたび何かあれば敵になるからな」

「でしたらおやめになるよう忠告なされば済むことです」

妻はいつになく強気だった。けれどもすぐそれに気づき、申しわけなさそうに下を向いた。

「時々あなたさまのことがわからなくなります。神だの神秘だのと言ったかと思うと、お金がなくてはだめだと急に身近なことを言われる。いったいどちらに重きを置いていらっしゃるのか」

「どちらにもだ」

「それで大丈夫なのでございますか」

「大丈夫？」

「耐えられるのかということです」

言いたいことがわからず、寄りかかっていた刺繍入りのクッションから身を離した。同じ姿勢でいたので腰が疲れ、身体を起こして足を組む。

「お変わりになられました」

「何がだ」

「あなたさまです」

妻はそう言って絹の裾を広げ、横座りしてはみ出た足首を隠した。

「どう変わったというのだ」

「いつも何かに怒ってらっしゃる。それに何だか苦しそうです」

「そう見えるだけだろう」

「神や聖なるものへのご関心が人一倍強いことは存じています。王族といえば戦やライオン狩りに夢中になるのが普通ですのに、魂の問題に心を向けられる方はめったにおりません。それは理解してお仕えしてきたつもりです。けれどもお勉強をなさればなさるほど安らぎから遠ざかっていくように見えてなりません」

「考えすぎだ」

「いえ、わたくしにはわかります。日に日に引き裂かれていくのが。このままでは取り返しのつかないことになりそうで恐ろしいのです。この際ですから申し上げます。この世のことと、この世から離れたことの両方にご関心を持ち続けるのはおやめください」

夜風が入り、灯りと壁飾りを揺らした。続いて消えたはずの乳香の匂いがふっと戻り、鼻先で甘く薫《かお》った。

ナディラはうつむき、肩を震わせている。控えている侍女たちも異変に気づき、さりげなくこちらの様子をうかがっている。

その通りだった。この世を治めることと、この世から離れることは両立しない。軍事や財政、農産物の収穫高について頭を悩ませることと、神へ近づき、感じようとすることは相容れない。けれどもそれを承知で両方を為そうと努めてきた。いずれも大事なのだと言い聞かせてきた。

「心配することはない。お前が見ているほど辛くはない。ふたつのことに引き裂かれているとはいえ、その亀裂をさらに広げてやろうと思っているのだからな」

「そんなことをして何になりましょう。苦悩が増えるばかりでございます」

「たしかにそうだ。けれどもそれがその人間の大きさであり、豊かさなのだと思っている」

「耐えられますか。そのような苦行に」

「もちろんだ。苦しみを知らずに豊かにはなれない」

「どうしてそのようにご自分を追い詰めようとなさるのです。あなたさまは帝《みかど》のご長男です。第一の皇子です。もう少し気を安らかにお持ちいただければ、どれほどか楽でしょうに」

いのだ」

「性分だ。疑問に思い、問い詰める。得られるものはごくわずかでもやめるわけにはいかないのだ」

「また新しいことをお考えですか」

著作のことを言っている。初めて書物をまとめたのは二十年近く前の二十代半ばだった。イスラムの聖者《スーフィー》の人生を調べた。総勢四百十一人。生没年や埋葬地を調べ、一冊の書物にした。瞑想と直感で神に近づこうとする聖者には若い頃から惹かれていた。それまで断片的に記されたものはあっても一冊ですべてがわかるものはなく、初めての著書としては満足だった。二作目は実在した聖者の伝記。三作目は聖なる存在に触れるための瞑想や修行の方法をまとめ、四作目は聖者たちが語った言葉を箴言《アフォリズム》として仕上げた。そして昨年、ヒンドゥー教とイスラム教を比べ、共通点を記したものを「二つの海の出会い」と題した本にまとめた。批判があることは知っている。「イスラムは絶対である。異教と比べるのは冒瀆《ぼうとく》であり、裏切りである」と。だが、違う。神がいてこそさまざまな宗教が生まれたに違いないのだ。自分の務めは異なった宗教に共通したものを探し、その背後に本当の神を見いだすことだ。

「考えているものはあるが、学者を集めなければできないだろう。一人では無理だ」

「今度は何のご本ですか」

「ウパニシャッドだ。それをペルシャ語に翻訳したい」

「ウパニ……？」

「ヒンドゥー教徒が大切にしている教典のひとつだ。サンスクリット語では正しく理解できないので翻訳してみたいのだ」

「また苦しみが増えますね」

「いや、苦しみより喜びをもたらしてくれるかもしれない」

「予兆でもありましたの？」

「漠然とした感じだけだ」

ナディラは溜息をついて侍女に林檎《りんご》酒を運ぶよう伝えた。これ以上は無駄と思ったのだろう。侍女は気づかず、ナディラがもう一度声を出した時、銀とトルコ石の耳飾りが小さく揺れた。黒髪はつややかで、首の後ろに小さな金の輪でまとめている。そろそろ四十になる。年より若く見えるが、少しやつれたかもしれない。自分のせいだろうか。妻より神を求める自分が妻を老けさせているのだろうか。

「甘くしてくれた？」

「はい。いつもよりずっと」

運ばれた林檎酒を見て妻が訊いている。酒には砂糖が混ざり、少し濁っている。

「おいしいわ。最近はこれくらいでないと飲んだ気がしなくて」

勧められるままにグラスを口に近づける。発酵した酒の匂いと甘い香りが鼻先に漂う。一口含むと、熱さより甘さに舌が痺《しび》れた。飲み込めば喉の奥から甘さが迫《せ》り上がってくる。

「いかがです？」

「一口でたくさんだ」

「お薬だと思って飲んでください。疲れた頭にはこれくらいがちょうどいいはずですから」

妻は嬉しそうに笑い、侍女も向こうで笑っている。仕方なく二口目を飲むと、少し甘さに慣れていた。三口目は意外に味わう余裕があり、四口目からはおいしいとさえ感じてしまった。

「ほらご覧なさい。お口は嫌がっても頭は求めてらっしゃるのよ」

「そんなものだろうか」

「素直にお認めになったら？　難しいご本もよろしいけど、栄養がないとだめになってしまうわ」

女たちの笑い声が響いた。妻は少しもやつれていなかった。林檎酒のおかわりを頼み、焼き菓子にも手を伸ばしている。元気なほうがいい。鬱々《うつうつ》としているのは自分だけでたくさんだ。

二　一六五七年

「もう少しわかるように訳せないものか」

「おそれながら申し上げます。もともとの言葉が難解なのでございます。わかりやすさを重んじるあまり、勝手な解釈をしてしまうのは罪深いことかと」

「しかしこれではあまりに」

シコーは渡された草稿の一部を目で追い、意味をくみ取ろうとした。けれどもわからないものはわからない。古代アーリア人の風俗を知らなければ比喩を理解できないからだろう。

「歴史家も招かなければ無理なのか」

アーグラとデリーの文献学者に加え、ペルシャからも学者を招いている。総勢二十人。それを十の組に分け、各章ごとに分担して翻訳させている。採用に当たっては能力、熱意、人柄を吟味し、作業で滞りが生じないよう組み合わせも考えたつもりだ。それでも遅々として進まない。人を増やせばいいのはわかっているが、力量のある人材はそうはいない。能力もないのに高額な俸給を目当てに自分を売り込もうとする輩か、能力はあっても勤勉さに欠け、周囲ともめごとばかり起こしそうな者か。始めてひと月になるが、大勢で翻訳することがこれほど大変なこととは思わなかった。

窓から風が入る。川面で冷やされ、ナツメヤシとオリーブの林を抜けてくるので真夏の熱風もいくらか涼しい。作業部屋に選んだのは風呂場である。はじめは客人用の広間を使おうと思ったが、一部の学者から天井や壁の装飾が気になり、集中できないと言われた。コーランの言葉をペルシャ語で図案化し、刻んだものだ。イスラムでは偶像崇拝は禁じられているので装飾はほとんどがコーランの言葉になる。招いた学者はヒンドゥー教徒だが、ペルシャ語がわかるだけに煩わしく感じたのだろう。もちろん暑さもあった。風呂場は北向きで広く、タイル張りなので裸足でも気持ちがいい。それでいて壁は厚く、外の熱を防いでくれる。入り口には足洗い場、中にも二カ所に小さな水路があり、水を流していれば涼しくなる。

「ほかにいるものはないか。あれば何でも言ってくれ」

主事の老学者は早く作業に戻りたそうにしていたが、せっかくと思ったのか遠慮がちに答えた。

「羊皮紙を存分に」

「与えている量では足りないと？」

「草稿にも使いたいのでございます。書き損じも恐れずに次々と記していく。その緊張がいい言葉を生み出すはずです。粗紙ではあとで捨てればいいと思い、つい言葉の選択も乱雑になります。これはわたしだけの意見ではありません。ほかの先生方も同じでございます」

見回すと、四列に並べられた机から色とりどりのターバンが振り向き、そろって肯いたので快諾した。

シコーは風呂場を出て自室に向かった。宮殿に参上するので身支度をしなければならない。階段から職人たちが見えた。風呂場を占領したので空いている土地に新たに水浴場を造らせている。

「お姉さまから。つい今しがた」

部屋に入るなり、ナディラが小さな革筒を差し出した。中に手紙が入っている。

「ダイヤモンドは魔物　人を惑わし、堕落に導く」

いつもながら短すぎてわからない。他人の手に渡った場合に備え、暗示にとどめておかなければならないことは承知しているが、これだけでは見当もつかない。

「父上より先に姉に会わなければ」

「またおかしなことが？」

差し出すと、ナディラも首をかしげた。

「わたくしならダイヤモンドよりラピスラズリに惑わされますのに」

「誰だろうな。惑わされているのは」

シコーは白無地から刺繍が入った臙脂の上着に着替え、ターバンも同系色にそろえて巻き直した。帯には三日月形の短刀を差し、鬚も整えた。

「学者の皆さんはいかがでしたか。よりによってお風呂場でお仕事だなんて」

「苦労しているよ。ほかより涼しくても難解なものは難解だからな。そうだ、羊皮紙がほしいと言っていた。手配しておいてくれ」

「承知いたしました。もうひとつお知らせが」

「何だ」

「そろそろスレイマンが戻るとのことです」

「そうか。たくましくなっただろう。息子は頭がいいし、勇敢だからな」

「向こうさまにお礼の品を」

「黄金でもダイヤモンドでも何でも届けてやれ。いや、スィングには宝石より武器のほうがいいかもしれない。ラージプートの王に飾り物は似合わない」

「またそのような悪口を」

ラージプートは北西部に割拠する勇猛なヒンドゥーの王たちである。当初ムガルの支配に抵抗していたが、宗主権《そうしゅ》を認め、軍事面で帝国に仕える代わりに莫大な地租を認められていた。スィングはそのうちの一人で、兵法を学ばせるため、息子を預けていたのだった。

「スレイマンには次の次を担ってもらわなければならないからな」

「次の次？」

「皇帝の順位だ」

「あなたさまにもその気がおありで？」

「生き延びるためだ」


オーラングゼーブが任地のデカンで蓄財に励んでいるらしい。総督付きの女官が姉に知らせてきたという。

「思うように税は集まらないはずですが」

「ダイヤモンドが採れるでしょう。それを蓄えているらしいのよ」

「何のために」

「足りないんでしょう。手なずけるには」

「誰を？」

「鈍いわね。地元の豪族たちよ」

オウムが鳴いた。外だ。二階から見下ろすと、鮮やかな赤と橙《だいだい》の羽をし、止まり木につながれている。

「ほかの弟たちも蓄財に励んでいるかもしれません。いつの間にかわたしとわたし以外の三人という関係ができてしまいましたから」

「嫉妬しているのよ。あなただけお父さまのお気に入りだもの」

「自分から近づいたことは一度も」

「しっ」

姉の目配せで再び中庭を見ると、係の男がオウムに餌をあげるふりをして、怒らせている。そこに従者が立っていた。闘象場の桟敷《さじき》で見た男だ。背が高く、鼻筋も通り、薄い紫の衣に金の細帯を垂らしている。ローシャンの手先。ということはオーラングゼーブの密偵。

「この高さなら話の内容は聞こえない」

「たいした働きだわ」

「父上の警護番がどうしてこんな所に」

「違うわよ。もともと建築技師として雇われたらしいけど、最近は占星術師を名乗って好きなように宮殿を歩き回っているの。吉凶の兆しはどこに現れるかわからないという口実でね」

「あの風貌なら財務か司法の高官としても通用する」

「敵じゃなければわたしがほしいくらいだわ。ローシャンのやつ」

姉は唇を嚙み、窓際に隠れて見下ろしている。若くないが、チャドル越しでも美しい。切れ長の目に柔らかな唇。男を惹きつける魅力は十分にある。けれども父が結婚を認めない。野心を抱いた婿に帝位を狙われるのを恐れるからだ。ローシャンも同じ環境だが、隠れてうまくやっている。だからよけいに嫌っている。

シコーは姉を見るのが辛く、中を向いて腕を組んだ。弟たちは着々と準備を進めているらしい。だが、兵力の中心はデリーにある。命令はジャハーンか、その代理である自分しか下すことができない。反乱を起こしたところで都は落とせないだろう。ここに来るまでに兵は消耗するし、数でも劣るからだ。それに必ずしも二男と四男がオーラングゼーブに従うとは限らない。二男のシュジャーからみればオーラングゼーブは下になる。自分こそ後継の資格があると思うだろう。四男のムラードは単純で酒好きな男だ。唆《そそのか》されれば兵を挙げるが、自分から先頭に立つとは思えない。とにかく様子を見よう。嫌疑もないのに兵は出せない。

姉と別れて謁見の間に向かう。庭に出て葡萄棚の先を回ったほうが早いが、陽射しが照りつけているので中を通る。

近づくと、長い列が見えた。報告書を抱えた地方官や貢ぎ物を手にした商人、黒服に身を包んだポルトガルの宣教師たち。よくも毎日集まると感心する。謁見は午《ひる》の礼拝前の一刻《いっこく》と決められているので、その時間内に目通りを得ようと早朝から並ぶのだ。礼拝を呼びかけるアザーンが響くと打ち切られてしまうため皆そわそわしている。

「シコーさま」

振り返ると、イタリアの商人だった。いつも本を買っているので顔なじみである。小柄で色白だが、こちらの伝統に合わせてターバンを巻き、鬚を蓄えている。

「そんな後ろではきょうは無理だな」

「ぎりぎりで間に合いますよ。それよりいかがです？　翻訳のほうは」

「順調と言いたいところだが、なかなか骨の折れるものらしい。もとの言葉が難しすぎるのだろう」

「ぜひ完成させてください。その時はささやかながら力になります」

「何をしてくれるのだ」

「出版です。シコーさまのお名前を冠して」

「イタリアで売ってくれるのか」

「もちろんでございます。その方面の知り合いはいくらでもおりますから。イタリアばかりかフランス、スペイン、ポルトガルとお名前がヨーロッパ中に広まります」

「悪くない。楽しみにしていよう」

先に進み、中に入った。衛兵が槍を手にして並び、その向こうで兜《かぶと》をかぶった儀仗兵《ぎじょうへい》がジャハーンの玉座を囲んでいる。壁際にはイスラム法学者と役人たちも並び、非礼がないか目を光らせている。謁見しているのはどこかの音楽家だろう。竪琴《たてごと》を手に三歩ほど離れてひざまずき、宮廷に取り立ててもらおうと恭《うやうや》しく話している。

これでもずいぶん容易になったらしい。かつては二度三度と額《ぬか》ずき、皇帝の足にも触れなければならなかったという。しかしジャハーンが「額ずく相手は神だけに限る」と布告して以来、取りやめになったと聞いている。

ジャハーンが小さく手を挙げたので音楽家は退き、次の男が歩み出た。白い鬚と髪を伸ばし、布をまとっただけのバラモンである。ヒンドゥー寺院の修理を陳情に来たのだろう。

「お待ちください」

占星術師だ。いつの間に来たのだ。儀仗兵の後ろにいたので気づかなかった。

「穢れを祓《はら》わなければなりません」

そう言うと、手にした短剣を抜いてバラモンの胸を撫でるように滑らせた。バラモンは困惑していたが、ジャハーンの前なのでこらえている。

「失礼ながらお生まれの日は」

「きょうじゃ。それに合わせて参上した」

「では、凶の現れ強し」

「何じゃと?」

「星の巡りがそう告げております。二十七宿《にじゅうななしゅく》の直日《ちにち》、新月《しんげつ》に向かう月の衰えは凶なりと」

占星術師はそれだけ言うと、再び儀仗兵の背後に身を隠した。続いて衛兵が二人、バラモンに近づき、退出するよう促した。

「凶の現れとは何のことじゃ。沐浴《もくよく》は済ませておるぞ」

「次を呼べ」

見かねたイスラム法学者が叫んだ時、外でアザーンが響き、謁見は打ち切られた。

「どうしてわしだけがこのような目に遭うのじゃ」

逆らうバラモンは両脇から抱えられて運ばれ、並んでいた人々も追い立てられるように散っていく。

シコーは我慢できずに前に出た。

「いつから謁見に来る者をお前が占うようになったのだ」

ジャハーンや法学者たちは驚いてこちらを見たが、占星術師は隠れたままだ。

「出てこい。姿を見せてバラモンを退けた理由を説明しろ」

シコーの剣幕に儀仗兵が脇に動いたので、占星術師が現れ、こちらを向いてひざまずいた。

「これはダーラー・シコーさま。ご機嫌麗しゅう。シコーさまともあろうお方がそのようにご立腹なされてはわたくしのような者は恐れ戦《おのの》き、言葉を失うだけでございます。何とぞご容赦を」

両手を広げて答える姿は世慣れて見えた。年は十余り下だろう。

「何が気に入らなかったのだ。あのバラモンの」

「とんでもないことでございます。好き嫌いではなく、異教徒の凶相《きょうそう》を感じたのでございます」

「凶相だと？」

「さようにございます。見た目は宗教者でもジャハーン帝を呪っているように見えました」

「どうしてわかる」

「ヒンドゥーのバラモンはそれこそ数えきれないほどたくさんおります。その中で、わざわざ謁見に来るというのはたくらみがあってのことに決まっております」

「わかるものか。寺院の修理を願い出たかっただけかもしれない」

占星術師は一瞬息をのんでから口を開いた。

「お言葉ですが、それならかまわないと?」

突然の反論にうろたえた。ジャハーンが即位したばかりの頃、ヒンドゥー寺院の建立と修復を禁じる命令を出し、一部では寺院が破壊されたと聞いている。イスラムに改宗させ、支配を強めるためだ。今も方針は変わっていない。とすると、バラモンに陳情の機会を与えることは皇帝に背くことになる。

「シコーよ。それくらいにしておけ。下らぬ問答だ」

ジャハーンは玉座から立ち上がり、落ち着いた声で言った。イスラム法学者と役人もそろって肯いている。誰も同じだった。「皇子は異教に関心を持ちすぎる。異教徒に寛容すぎる」。表立っては口にしないが、どの顔もそう言っている。この辺でやめておこう。自分は異端なのだ。論争しても徒労に終わる。

ジャハーンは去り、ほかの者たちも出て行った。外ではまだアザーンが響き、人々に礼拝するよう呼びかけている。

「アッラー　アクバール　アッラー　アクバール」

シコーはその場にひざまずき、額ずいた。アザーンの声は高く低く、風に乗って響き渡る。聞いていると胸が締め付けられ、目を閉じて心の中で問いかけた。

「わたくしは間違っているのでしょうか。ここインドの地には多くの異教徒たちがいます。われわれは支配者ですが、彼らと共に生きていかなければなりません。そのためには彼らを理解しなければなりません。偉大なるアッラー、お答えください。彼らに学び、彼らを受け入れ、その先になお神を見ようとするのは冒瀆でしょうか」

「ハイヤー　アラッサラー　ハイヤー　アラッサラー

アッラー　アクバール　アッラー　アクバール」

アザーンの声は先ほどより物悲しく聞こえた。昼の白い空気の中では清浄でさえあったが、神はお答えにならない。いくら待っても黙されたままであった。

その晩、父に呼ばれ、殿舎《でんしゃ》に入った。香木の匂いが漂い、世俗の雑事を忘れさせてくれる。父は絨毯の上で足を組み、水煙草を吸っていた。呼吸に合わせて小皿の香草が赤く燃え、ガラスの筒が煙で白く濁った。シコーに気づいても管から手を離さず、目を閉じて味わっている。

邪魔をしてはいけないと思い、少し離れて腰を下ろした。水煙草の用意をするかと従者に訊かれたが、断った。

父に呼ばれることは滅多にない。政の細目はそれぞれの高官が担い、午前中の合議で報告を受けている。用件は政ではないだろう。

父はくわえていた象牙《ぞうげ》の吸口《すいくち》を外して大きく煙を吐き出すと、こちらを睨んで低く言った。

「いつまで続けるつもりだ」

「何をでございましょう」

「決まっている。お前の道楽だ」

ウパニシャッドの翻訳を言っている。宮殿ではなく、自分の屋敷で行っているが、気に入らないのだろう。

「終わり次第、終了いたします」

「当たり前のもの言いをするな。訊いているのは、いつまで神だの魂だのと騒ぐつもりかということだ」

「騒いでいるつもりはありません。知りたいだけでございます」

「同じことだ。お前がそのようなものに心を向けていると、異教徒がつけあがり、ムガルの基盤が危うくなる」

「そうならないよう政にも心を向けております」

「まだ足りぬ。力でやつらを抑えていることを忘れるな」

「お言葉ですが、人は心を持っております。心を従わせなければ信頼を得ているとは言えず、国を治めていることにもなりません」

ジャハーンは新しい香草を運ばせ、炭にのせた。薔薇の香りだった。乾燥させた花びらに香木と煙草の葉が混ぜてある。一息吸い込んでは吐き出し、再び吸ってはしばらく恍惚《こうこつ》としている。

「お前は跡を継がなければならん。わかっているはずだ」

「どうしてわたしとお決めになったのです。兄弟はほかにもいます」

「ムムターズの遺言だ」

「母上の？」

「そうだ。お前がふさわしいとな」

驚いた。初めて聞いた。母が他界したのは十六の時だ。母はいつの間にそのような考えを抱いたのだろう。

「第五代皇帝を宣言した年だった。お前の何番目かの弟が三歳足らずで死んだ。その時、悲しみを振り切るように妻はこう言った。『でもシコーがいます。あの子を大切になさってください。あの子は大きな運命を背負っている。そんな気がしてならないんです』と。はじめはわからなかった。子を失った悲しみで混乱しているのだと思った。けれどもその後もことあるごとに繰り返し、死の間際にはこう言ったのだ。『この国を治めるのはあの子です。それがあの子の使命なんです』。どうしてそんなことがわかるのか。正気を失ったとしか思えなかった。だから真に受けず、死んでからも誰にも話さなかった。だが、時が経つにつれ、考えるようになった。死に瀕《ひん》した人間が嘘や出まかせを言うだろうかとな。しかも我が子のことについてだ。それで思い至った。もしかすると母親にしかわからない直感のようなものがあってあのように言ったのではないかと。それ以来、わしもお前が後継にふさわしいと思うようになった」

父は遠い目をした。もみあげと顎鬚には白いものが混じり、肌の張りもなくなっている。公の席で見せる威厳は見あたらない。ジャハーンは今、皇帝ではなく老いた父として目の前に座っている。

それにしても母がそのように自分を見ていたとは知らなかった。母の思い出と言えばいつも大きな腹をし、汗をかいていたことくらいである。子を産んだばかりでもジャハーンが遠征すればそろって従軍し、天幕で野営した。料理人も同行したが、敵の攻撃で倒れた時は母がパンを焼き、スープを温め、肉を炙《あぶ》ってくれた。傷兵が運ばれれば血をぬぐい、水を飲ませ、木陰に寝かせた。働き者だった。朝から晩まで従者や侍女たちと動いていた。

「そう言えば星を見るのが好きでした」

「ムムターズがか？」

「野営地ではとくにそうでした。夜更けに小便に起きた時、母上が一人で焚き火のそばに座っていたことがありました。手招きするので近づくと、こう言いました。『シコー。この星空の美しさをよく覚えておかなければなりませんよ。これがお前が生きている世界だということを忘れてはいけません。お前はこんなにも美しいものの下で生きているのです』」

母の情愛が蘇り、胸がつまった。次々と子を産み、戦いに付き合い、宿営先で産褥死《さんじょくし》した母。大勢の子どもたちに囲まれていても、寂しさを感じることはあったのだろう。その時、慰めになったのが夜空の星々だったに違いない。星の光は冷たいが、瞬《またた》きは無限で、その向こう側の世界を感じさせる。母もまた聖者《スーフィー》だったのだ。自分は間違いなくそれを受け継いでいる。

「母上がそう言っていたのなら引き受けなければなりません」

「道楽をやめるのか」

「いえ、神を求め、同時にこの世も治めるのです」

「アクバル大帝を気取るのか。まねごとはうまくいかんぞ。祈りの館なんぞ造ったところでまとまるはずがない」

第三代皇帝アクバルは祈りの館と称する建物を造り、そこにさまざまな宗教の神学者や神秘主義者、宮廷人らを集めて議論させた。それぞれの違いを明らかにし、共通したところを見いだすためだ。そして生まれた考えを新たな宗教としてまとめようとしたと聞く。

「館を造るつもりはありません。しかしもっと大きな立場で異教とされるものを考えてみたいのです」

「幻想だ。宗教がそもそもの幻想である以上、寄せ集めたところで幻想が一つ増えたにすぎん」

「アッラーさえ幻想だと？」

「そうは言っておらぬ。ただ場合によっては、そう考えなければならんこともあるということだ」

意外だった。それが父の本心か。

「よいか。神のことは神に任せておけ。深入りしたところで混乱するばかりだ。大切なのは国を治めることだ。そのためにはイスラムを掲げ、その網を広げ、ムガル全土を覆わなければならぬ」

「おじいさまはどうだったのです」

父は再び手にした水煙草の吸口をいったん戻して言った。

「口にするのも愚かしい。酒と女に溺《おぼ》れ、絵を眺め、庭を巡っていれば幸せな男だった。政はすべて母に任せ、戦場に出たことは一度としてないはずだ。それでいて思いつきでさまざまな命令を出した。お前も人質になっていたからわかるだろう。オーラングゼーブと一緒に。謀反《むほん》をくじくために息子を差し出させるとは尋常ではない」

「十歳の頃でした。カシミールまで付き合わされ、そこで山羊《やぎ》の絵を描かせて喜んでいました」

そう答えた時、父は親への反発からイスラムを強化しているのだと気がついた。神はどうでもいい。ましてや星空の彼方のことなど関心もない。領土が安泰で税が入れば満足なのだ。

「連中がお前のことを何と言っているか知っているか」

「連中とは？」

「宮廷のやつらだ。貴族もイスラム法学者も含めてな」

「彼らが何と？」

「『酔君《すいぎみ》』だ。意味はわかるな。お前は一日中酔っている。昼も夜も、酒も飲まずに。自分の妄想に」

「かまいません。この世のことにしか関心がない人間に何を言っても無駄です。たとえば星空の不可思議、あるいは香木の匂い。はたまた戦に倒れた兵の骸《むくろ》とそれを埋めようとする砂嵐の非情。これらすべてに神の兆しがあり、人はそれに触れることで平安を得るのです。政はそのためにこそあるべきです」

ジャハーンは眉間に皺を寄せ、水煙草を吸った。が、吸い込みすぎたのかすぐに咽《む》せ、胸を叩いてから苦しそうにつぶやいた。

「ムムターズもとんだ息子を産んだものだ」

「かもしれません。しかしまだわからない。何一つとして」

シコーは立ち上がって挨拶をしたが、父は顔を向けようとしなかった。

父が倒れた。九月は気温も下がり、過ごしやすい時期だが、愛妃《あいき》と寝た後、起き上がれなくなったという。

「誰にも言うな。隠し通せ」

シコーは侍医《じい》や従者に命じると、朝から姉を呼んで説明した。

「だから自分の墓を作ろうとしたのね。気づいていたんだわ」

「その話は後にしましょう」

シコーはまず軍務大臣を呼び、デリーにいる部隊ですぐに動けるのはどれくらいか問い質《ただ》した。

「戦象《せんぞう》が五百、騎馬が三千でございます。それでも数日あれば二倍、三倍に増やすことができましょう」

続いて財務長官を呼び、国庫の蓄えを説明させた。

「恐れながら申し上げます。直ちに使えるのはせいぜい一千万ルピーでございます。マンサブダールの人数が増え、支出がかさんでおりますゆえ」

マンサブダールとは国庫の支払いを受ける貴族であり、位によって軍役を義務づけられている。その数が増えれば軍事面も強化されるため、必ずしも悪いことではない。

「デリーは万全です」

「そうじゃなければ困るわ。とにかく極秘に」

が、すぐに漏れた。宮廷の異変は侍女や従者、奴隷たちには格好の話題であり、陽が高くなる頃にはローシャンにも伝わった。次々に身内が集まり、ジャハーンの寝所の近くで侍医を取り囲んだ。

先に質したのはベーガムだった。

「はっきりおっしゃいな。本当のところはどうなんです」

「重篤《じゅうとく》でございます。脈が弱く、言葉も交わせません」

「それくらい見ればわかるわ。知りたいのは原因と回復の見込みよ」

ベーガムは床を蹴って声を荒らげた。いつもは対立しているローシャンも知りたいのは同じで、黙って苛立つ姉を見守っている。

「申し上げます。尿が出ないということは膀胱《ぼうこう》でございます。そこから先が塞がっているのでございます」

「だから？」

「精力剤の飲み過ぎでございます」

取り巻いていた数人の妃はチャドルで顔を隠し、後ずさった。自分たちが責められるとでも思ったのだろう。

「馬鹿らしい。何かと思えばそんなこと。それよりどうなの？　危ないのね。もうすぐにでも？」

今度はローシャンが訊き、ベーガムが侍医の答えを待っている。侍医は自分が置かれている立場をよく承知していた。皇帝の余命を語れば戦争を招く。自分の一言で帝位継承の戦いが始まってしまうのは避けたいのだ。

「すべては神の思《おぼ》し召《め》しでございます」

「そう言われたら何も言えなくなるじゃないの。そうだわ。シコー。あなたなら思し召しはわかるでしょう」

「そうよ、兄さん。ぜひうかがいたいわ」

う命じた。

「愚かな」

侮辱された気がして言葉が続かず、再び軍務大臣を呼んでデリー全域に厳戒態勢を敷くよう命じた。

「すぐに戻ります」

ローシャンが去ったのでシコーは姉と目を合わせた。オーラングゼーブに報告するのだ。ということはほかの弟にも伝わるだろう。

「どこへ行く」

ローシャンは階段の中ほどで立ち止まり、顔を向けた。

「どこへ行って何をするつもりなのかと訊いている」

「おかしいわ。そんなこと訊くなんて。いつもの兄さんではないみたい」

「護衛を付けよう。身の安全のために」

「お気遣いは無用よ。宮殿ほど安全な所はありませんもの」

「だめだ。何か起きてからでは遅すぎる」

シコーは従者に女官一人と護衛二人を選ばせ、片時もローシャンから離れないよう指示した。一方のローシャンは護衛という口実で監視を付けられたことに露骨に嫌な顔をした。しかしジャハーンが倒れた今、その代理であるシコーに逆らうことはできない。

「こんなことしたって意味がないわ。もう始まっていますから」

「何のことだ。おかしな言い方をするんじゃない」

「あら」

ローシャンが見下ろした先には占星術師が立っていた。下の階なら立ち入りは許されている。

「来てちょうだい。大事な話よ」

「おい」

シコーの声に占星術師は身をかがめて挨拶したが、すぐにローシャンに向かってひざまずいた。何か言っているが、聞こえない。監視役が追いつき、取り囲む。ローシャンは手で払いのける仕草をするが、本気ではない。占星術師も笑っている。二人の陰謀を阻止するには投獄しかない。宮廷の監獄か、アーグラの南のグワリオル獄舎か。けれども証拠がない。謀反の芽は早めに摘むのが鉄則だが、今投獄してはかえって弟たちに挙兵の口実を与えてしまう。

気がつけば人影は消え、陽射しが庭のバナナの葉を照らしていた。いよいよ覚悟を決める時が来たようだ。血を分けた兄弟の戦いが始まる。一切の情を捨て、我が身の安全と利益だけを考えなければならない。

三

予期していた通り、弟たちがそれぞれの任地で挙兵した。二男のシュジャーは東のベンガル、三男のオーラングゼーブは南のデカン、四男のムラードは西のグジャラート。しかし挙兵の大義に愕然とした。

「シコーが父を毒殺した。その仇《かたき》を討つ」

父はまだ生きている。それどころか奇跡的に回復し、日に日に元気になっている。

「いつでもご命令を」

「慌てるな。軍勢はこちらのほうが上だ。引きつけてから一気に勝負をかけよう」

息子のスレイマンは不満そうだった。挙兵が明らかになった以上、すぐさま攻めるべきだと考えている。ラージプート仕込みの戦法が身についているのだ。けれども敵軍の動きは必ずしも素早くなかった。騎馬隊だけならまだしも、大砲と砲弾、水と食料も運ばなければならないからだ。報告がすべて正しいとは思えなかったが、大陸の広さを考えれば納得できた。

挙兵を知った時点でローシャンは館に軟禁し、占星術師は奴隷として畜舎に放り込んだ。

「先に姿を現すのはシュジャーかムラードだ。デカンは遠い」

「シュジャー軍かもしれません。ガンジス川をさかのぼればいいからです。船を使うので牛馬の消耗も少なくて済みます」

「そのつもりで準備しろ」

シコーはスレイマンに指示し、父の寝所に向かった。

幕をくぐると、父は立っていた。獣毛の沓《くつ》を履き、細かい文様が入った長衣を着てターバンの頭頂には飾り羽根も付けている。

「どうされたのです」

「アーグラに帰ろうと思ってな」

「何をおっしゃいます。都はここです。ここのほうが安全です」

「それはわかっておる。だが、もういいのだ」

離れて座っていた愛妃は止めた手を再び動かし、宝石や金銀の腕輪をひとつひとつ箱に入れ始めた。侍女たちは絹の衣や帯、髪留めなどを櫃《ひつ》に納め、終わったものから蓋をしていく。

父は急に老け込み、威厳も失ってしまった。以前は日に何度も鬚の手入れをさせていたが、今は剃らないことも多く、隠居した商人のようだ。

「ようやく都が完成し、シャー・ジャハーナバードという新しい名前も広まってきました。それなのに皇帝が都を離れては、何のために遷《うつ》ってきたのかわからなくなります」

「わしの時代は終わったのだ。お前がここを守ればいい」

ジャハーンは柱にもたれようとして少しよろけた。その拍子に緩んでいたターバンが前にずれて間が抜けた格好になり、今度はそれを戻そうとして後ろに下げすぎ、ますます滑稽になった。

父に近づき、ターバンを直しながら言った。

「母上ですね。向こうにはタージ・マハルがありますから」

肯いた父の背丈はいつもより低かった。姿勢が悪いのだろう。本当にこれが皇帝として君臨してきた男だろうか。哀れに思え、つい余計なことを口走った。

「鬚を剃りましょう。母上に会うのにこれでは笑われます」

侍女は戸惑ったが、すぐに立ち上がって湯と剃刀《かみそり》を用意した。父もはじめは困惑していたが、悪い気はしなかったらしく、絨毯の上に腰を下ろすと、顔を突き出すようにして待っている。

剃刀はペルシャ製で握りのところに薔薇が刻まれていた。壺に指を入れて脂《あぶら》を取り、父の頰に薄く伸ばす。鼻は高く、眉は太く、精悍《せいかん》さが残っている。父の顔をこれほど間近で見るのは初めてだ。

「うっ」

父が動いたので頰を切ってしまった。白い鬚と枯れた肌の間から薄く血が滲んでくる。気づいた侍女が布でぬぐおうとすると「たいしたことはない」と拒み、少し顔を上げて喉を見せた。

「まだお考えは変わりませんか」

「むろん、アーグラに行く」

「その話ではありません。黒いタージ・マハルです」

「おお、あきらめてはおらんぞ。金はかかるが、できたら壮観だろう。どこの王朝もかなうまい」

「おっしゃる通りかもしれません」

「反対していたのではなかったのか」

「建築がもつ威厳と神の威厳は似ております」

「また神か」

父は溜息をついて続けた。

「死んだ後に建ててくれればいい。何年先でもかまわない。間違いなく歴史に残るだろう。建築とはそうでなければならん」

ジャハーンが蘇った気がした。歴史に残ること。その野心があれば、これ以上は老け込むまい。

「考えておきましょう。橋を隔ててそびえるふたつの霊廟を」

「川を境に対称になるようにな」

父は剃り終えた顔を満足そうに撫でた後、急に声を落とした。

「噂では、わしはお前に毒殺されたことになっている」

「挙兵の口実にすぎません」

「外からはそう見えるのだ。しかし嘘であることが証明された。お前は剃刀を手にしながら一度もわしの喉には当てなかったからな」

ジャハーンは立ち上がると、出発するよう侍女や従者に命じた。足取りはおぼつかないが、背筋はよく伸びている。

どう受け止めればいいのだろう。試したのだろうか。鬚を剃るという申し出に殺意を嗅ぎ取り、承知でやらせたのかもしれない。親子でありながら親子ではなく、兄弟でありながら兄弟ではない。これがムガルだ。

「父上」

「何だ」

「わたしは戦より神を選びます。勝敗とは別の世界を」

「今になって何を言う。通用すると思っているのか」

「戦を放棄すると言っているのではありません。ただ、岐路に立たされると、いつもそちらに向かってしまうのです」

「いいか。よく聞くのだ。お前はほかの息子たちとは違う。頭もいい。だが、思い上がりは命取りになるぞ。人間には限界があるのだ。だから神には近づいてはならんのだ」

ジャハーンは去った。こんな話をするつもりはなかった。鬚を剃り、アーグラへ送り出そうと思っただけだ。どうしたのだろう。何かが自分に取り憑いている。誰かが自分に言わせている。まさか神が。

「約束の書でございます。きれいに清書し、表紙も新しくいたしました」

「ご苦労だった。これでヒンドゥーの奥義《おうぎ》を知ることができる」

「わたしどもにとっても大きな誇りです。はるばる来た甲斐がありました」

「さあ、杯をあけよう。今夜は戦を忘れてお祝いだ」

十二月の風は冷たかったが、どの顔も仕事を終えた充実感で輝いていた。ウパニシャッドのペルシャ語訳。全五十章。改訳に改訳を重ね、ようやくひとつの物語としてまとめ上げた。主題は宇宙の成り立ちと自己の探求。原義がわからず、訳しきれていない部分もあるが、初めての試みとしては立派なものだ。

ヤムナーの川縁には世話になった学者のほか、妻や侍女、従者らも勢ぞろいした。星空を楽しむため天幕は張らず、絨毯の上に子羊の串焼きや鶉《うずら》の燻製《くんせい》、川魚の酢漬け、豆のスープ、それに砂糖菓子や果物までさまざまな料理が並べられた。周りは篝火《かがりび》に囲まれている。

「おめでとうございます。シコーさまの執念が実りました」

「みんなのおかげだ」

「いえ、ご決断がなければ、途中でやめていたかもしれません。戦が迫っているのに、このお屋敷では優雅に遊び暮らしているとあちこちで悪口を言われましたから」

「愚かな輩はどこにでもいる。理解できないものを憎むのだ」

妻も珍しく酒を飲み、侍女たちと歓談している。息子のことを心配しているはずだが、送り出した以上、覚悟を決めたらしい。スレイマンは軍の指揮官としてガンジス川を下っている。シュジャー軍が近づいているという知らせを受けたからだ。行き先はベナレス。大砲や騎馬隊に加え、訓練した象も四百頭ほど投入した。数で圧倒すれば勝利も早い。

シコーはよく焼けた羊の肉に胡椒をかけながら声を張った。

「この書の題名は何がいいだろう」

「ウパニシャッドとは、もともと『近くに座る』という意味でございます。おそらくは師の教えを聞くためでございましょう。ですからこれ以外の題名は不要と存じます」

「しかしせっかくペルシャ語に訳したのだ。これはこれで題があってもいいではないか」

学者たちはそれぞれ顔を見合わせていたが、ひとりが手を挙げた。

「『智慧の書』はいかがでしょう。どこの言葉で書かれようとも、ここに記された智慧は広く読まれるに値します」

「智慧の書か。いい響きだ。写本の時にはそうさせよう」

太鼓が聞こえた。笛と喇叭も鳴っている。暗がりの向こうから集団が踊りながらやって来る。大道芸人だ。篝火を見つけ、いい稼ぎになると踏んだらしい。音楽は次第に大きくなり、やがて十四、五人ほどの男女が現れ、篝火の脇でかしこまった。

「これはこれはお大尽の宴の盛り。川面の風も何のその、美男と美女が集まれば恋も恥じらい逃げていく。さあて、さあて、今こそわれらの芸をじっくりびっくりご覧あれ」

ひらひらした頭巾をかぶり褐色に輝く裸の小男が口上を言うと、控えていた連中が飛び上がるように立ち上がった。音楽が再び鳴り、まずは娘たちが両手を広げて踊り始める。足首に鈴が巻かれ、踵を打つ度にしゃんしゃん響く。続いて男たちが剣を取り出し、右に左に振り回しながら身体をくねらせていく。音楽が一巡すると、踊り手は退き、代わって長身の男が現れた。男は籠から太い縄を出し、手から肩、肩から首へと巻き付けるように這わせていった。音楽は笛だけになり、縄は首を滑り抜けて手首から大地へと垂れ下がる。蛇だった。白い大蛇だ。

「見事だわ」

侍女たちも恐がるどころか感心して眺めている。シコーも同じだった。宮殿にいることが多いので庶民の芸に触れる機会は滅多にない。しかも星空の下では力に溢れ、異教徒の血と誇りを感じさせた。

「卑賤《ひせん》の者めが。せっかくの夜を」

学者の一人がつぶやいた。

「よいではないか。せっかくの夜だ。このような芸もいい」

「分をわきまえぬ者が穢らわしいのでございます」

「何だと？」

シコーが気色ばむと、芸人たちにも聞こえたらしく、音楽がやみそうになった。

「かまわぬぞ。続けてくれ。さあて、さあて、今こそわれらの芸をじっくりびっくりご覧あれ」

口上をまねたので安心したのか、再び太鼓が鳴り、踊り手が飛び出してきた。今度は一人が松明《たいまつ》を持ち、火の粉を散らして舞っている。篝火から引き抜いたらしい。大蛇は長身の男の首に巻き付き、顔にも巻き付き、頭頂からさらに空へ上ろうとしている。

「たいした蛇だ。星の彼方が気になるらしい」

「卑賤の者たちに飼われているのが嫌なのでございましょう」

「どうしてそれほどこだわるのだ」

「あの者どもはシュードラでございます。バラモン、クシャトリヤ、ヴァイシャの下でございます」

知っている。ヒンドゥー教独特の身分制度だ。生まれによって区別され、差別される。

「理不尽なことだ。ムスリムは神の前では誰もが平等だぞ」

「歴史の違いでございます」

「それでいてどうしてウパニシャッドのような深い考えが生まれるのだ」

「おそらくは太古の昔に戦いがあり、支配する者とされる者とに分かれたのでございます。その後、支配する者の中でまたいろいろ分かれ、ごく一部の者たちが聖なるものを求めて思索を続けたのでございましょう」

「なるほど。太古の昔か」

音楽が終わり、踊り手たちは身をかがめて肩で息をしている。大蛇は籠に返され、松明も篝火に戻された。

「楽しませてもらったぞ。思いがけず、いい夜になった。遠慮はいらぬ」

芸人たちは食事の振る舞いを受け、酒も飲んだ。口上を言った小男には従者から祝儀が手渡され、早くも仲間内で分配された。

シコーは立ち上がって宴から離れた。妻の声が聞こえた気がしたが、振り返らなかった。篝火を過ぎると、岸辺は闇に隠れ、草を踏む足音が大きく響く。この先に大河が流れているとは思えないほど静かだ。見上げれば満天の星。群青の空で白い光が別の光と重なり、その光がまた隣の光に反射している。いくつあるのだろう。無理を承知でひとつひとつ目で追い、数え終えた星を記憶の中で消していく。十を二つ、三つ、四つ……。すぐに百になり、その広さと同じ分を加えて二百にする。そして三百、四百……。

ウパニシャッドはこれらもろもろを含めた宇宙の原理をブラフマン《梵》と名付けた。一方、その対極として、ここに立っている自分や足元の草、埋もれた小石をアートマン《我》と名付けた。そしてそれらは一致するという。梵我一如《ぼんがいちにょ》。たしかに自分は自分であり、草は草であり、小石は小石である。しかしそれらはアートマンとして孤立しながらもブラフマンを内包して連なっており、その限りにおいて少しも孤立していないという。在り方においては多様でも、本質においては同一なのだ。これは信仰ではなく知恵である。この国の賢者たちは長い思索の果てに遂にこのような世界観に到達したのだ。

イスラムはどうだろう。神がすべてをおつくりになったと説く。ムハンマドはモーセ、キリストに続く最後の神の預言者である。モーセが示した神もキリストが崇めた神も同じで、ムハンマドはそれをアッラーと呼んだだけだ。唯一絶対の神。すべてをつくりたもうた神。とすれば、ウパニシャッドが語るブラフマンとアートマンの世界も、アッラーによってつくられたことになる。

戦慄した。初めてイスラムがヒンドゥーを超えたと思った。ウパニシャッドは宇宙の原理としてブラフマンを掲げても、それがどこから生じたのか、それを誰が生み出したのかは明らかにしていない。生み出したのは神である。その名はアッラー。

目を開けて両手を掲げた。おびただしいほどの星と星。燃え立ち、ざわめく光と光。そしてその背後を埋める闇の最果て。神だ。そこに潜んでいるのは神の片膝。神の片肘。違う。姿が見えない闇そのもの、光そのものに神を感じる。

振り返ると、宴の炎は燃え続け、人々が歌いうごめく影が見えた。自分の居場所ではない。もはや過去に感じられる。宮廷どころか、書物を完成させた祝宴さえ遠く感じてしまうとは。

スレイマンはシュジャー軍を破るだろう。大軍を派遣したのだ。敗れるはずがない。そしてデリーに戻ってくる。その時、自ら第六代皇帝に就いたことを宣言しよう。勝利の祝賀と戴冠を同時に行うのだ。式典には父を招き、ラージプートたちも呼び寄せ、シュードラとして排除された民ともども三日三晩にわたって宴を張ろう。

突然松明が現れ、声がした。ナディラだった。

「いつまでもここにいては風邪を引きます」

「それよりいいことを思いついた」

「何でございましょう。先にお聞かせください」

話そうとして口ごもった。

「そちらから話せ。いいことは後でいい」

ナディラは肯いて侍女から松明を受け取り、こちらを照らした。炎は風を受けて横に伸びたが、すぐに戻り、妻の耳飾りに反射した。

「悪い知らせです。ムラードさまが宣言なさいました」

「あいつが？　何をだ」

「第六代皇帝をです」

虚を突かれて戸惑ったが、すぐにおかしくなった。

「はっはっは。それは無理だ。末っ子のムラードには何もできまい。そもそもグジャラートの地では誰も本気にしないだろう」

「それがオーラングゼーブさまもご一緒とか」

「何だと？」

「オーラングゼーブさまがムラードさまの即位を認め、援軍に回ったというのです」

再び風が吹き、炎は音を立てて横に震えた。松明の芯が赤く燃え、火の粉が散り、炎は青く縮んで急に辺りが暗くなった。おかしい。オーラングゼーブがムラードを帝に立てるとは。

「あいつらは何を企んでいるのだ？」

「わかりません」

「知らせを受け取ったのはお前だろう。ほかに何もないのか」

ナディラは松明の火を少し下げ、こちらに近づいた。下から照らされた顔は別人のように暗く、不気味な陰を刻んでいる。

「わたくしのような者にお尋ねにならないでください。それを探るのはあなたさまの務めでございます」

「訊いただけだ」

「シコーさま。もう一度言わせてください。この世のことと、この世以外のことは両立しないのでございます。それはどこまでいっても出会わない川の両岸のようなものです。今、家からは息子が出ております。戦うためにです。多くの軍隊を割り当てられたとはいえ、戦に運はつきものです。今はどうか、この世のことに専心なさってください。この世のことをないがしろにして、それ以上のことなど手に入るはずがございません」

息をのんだ。その通りだった。この世のことを忘れてはいけない。この世で勝利せずに星空の彼方を目指していては嗤《わら》われる。

「よくわかった。翻訳はこれで終わりにしよう。念願していたものが完成したのだ。悔いはない。だから心配するな。いずれ玉座に就いた時、あらためて翻訳に取りかかろう。その時は国を挙げての事業となるぞ。それこそ歴史に残る大事業になる」

妻は涙を浮かべていた。安心したのかと思ったが、そうではないらしい。

「本分をお守りください。本分をなくしては人としてこの世にいられなくなります」

「わかったと言っているではないか。どうして泣くのだ」

「情けないのでございます。わたくしの夫ともあろうお方が、今この時になってもこの世とこの世以外の区別ができないからでございます」

「もうよい。お前こそわからないのだ。星空の気高さがな。そこまで情けなく思うなら、今からでも遅くない。ほかへ行け」

しまったと思った時は遅かった。口から出た言葉は妻を襲い、力を奪った。ナディラは松明を侍女に渡し、背を向けてとぼとぼと歩き始めた。顔なじみの侍女が恨めしそうにこちらを見たが、今さらどうしようもなかった。


翌一六五八年、一月上旬。ムラードの軍が西部の港町スーラトの要塞を攻めた。要塞の司令官はジャハーンから直々に任命された勇将で、ムラードの即位を認めず、抵抗していたのだ。六千を数える軍勢が要塞を取り囲み、兵糧《ひょうろう》攻めにしているという。そればかりではない。ムラードは地元の商人から軍費として五十万ルピーを徴集し、砲弾や火薬、馬牛も手に入れ、勢いづいているという。ジャハーンに知らせても「すべて任せる」という返事が来ただけで、アーグラに引きこもったままだった。

「援軍を送って助けるのよ。ここで負けたらムラードがますます調子に乗るわ」

ベーガムは苛立ちを隠さずに言い放った。精鋭はスレイマン軍に投入している。残りの軍を派遣すればデリーの防備が手薄になる。たとえ派遣したとしてもジャイプル辺りで会戦となり、オーラングゼーブ軍の動きによっては再びデリーに戻らなければならない。

「本当の敵はムラードではなく、その後ろにいます」

「オーラングゼーブ？」

「そうです。あいつの動きを見届けてからでないと判断できない」

「まだデカンにいるんでしょう。ムラードだけ動かして自分は向こうに居座るつもりじゃないかしら。皇帝の地位はムラードに譲って」

姉はそう言った後で自分でも推測が外れているかもしれないと思ったらしく、わずかに首をかしげた。

「いずれにしても今はシュジャーの進軍を食い止めることが先です。あいつはまっすぐにここを目指している」

「スレイマンなら大丈夫よ」

「そう信じています」

もちろん不安はあった。シュジャーはムラードほど愚かではない。どのような手を仕掛けてくるかわからない。「戦に運はつきものです」という妻の言葉を思い出す。妻はあれ以来アーグラの城にいる。

「ローシャンはどうしています」

「太ったわ。別人みたいよ。することがないので、食べてばかりなんでしょう」

「衰弱していなければかまわない。決着がつくまでおとなしくしてもらわないと」

「でも、会っているらしいわ。監視がゆるいのね」

「誰とです？」

「決まっているじゃない。あの男よ」

占星術師だ。忘れていた。畜舎で動物と暮らし、糞尿の掃除を命じられている。幽閉されているローシャンが館を抜け出すことは難しい。とすると、男が畜舎から出て会いに行っているのだろう。

「厳しくするよう命じておきます」

「お父さまのことも心配だわ。今はナディラがそばにいるようだけど」

「面倒は愛妃がみているはずです」

「早く仲直りなさい。喧嘩している場合じゃないでしょう」

その通りだ。けれどもきっかけがつかめない。

「気位が高くて自分から謝れないのよね」

「いろいろ忙しいのです。それに必ずしもこちらが悪いわけじゃない」

「それがだめなのよ。神だの何だのと言う前に夫婦らしくなさい。せっかく相手がいるんだから」

ベーガムは外の泉を眺め、溜息をついた。今の父なら結婚を認めてくれるだろう。婿に帝位を狙われる心配はなくなったからだ。しかし姉も四十半ばだ。ふさわしい相手が見つかればいいが、後継争いの最中に名乗り出る男はいないだろう。

「前から言っているでしょう。勉強はほどほどにしなさいって。この世から離れすぎると身を滅ぼしてしまうわ」

「ナディラにも同じことを言われました」

「誰が見ても同じよ。今のあなたに対しては」

「狂っていると？」

「そう。この世で生きているくせに地に足がついていないようよ。それが顔に出ている。青白く、陰気で」

アザーンが聞こえた。きょうの声はいつもと違って低すぎる。これでは伸びやかに響かない。姉は嫌そうな顔をした。信仰に関心がないので煩わしいのだ。姉の気分が移ったのか、自分も礼拝が面倒に思えた。異教に深入りしてイスラムから離れてしまったのだろうか。

「お腹がすいたわ。ローシャンの所で一緒に食べようかしら。あなたは礼拝よね。神の子だから」

「畜舎を見てきます。見張りがどうなっているのか」

「ごまかされないようにね。いたる所に敵がいるから」

宮殿を出て閲兵広場を抜け、長い柵に沿って歩くと干し草の匂いがした。出会う下僕たちは驚いて道を空ける。このような所に王族が来ることはないからだ。

干し草の匂いが家畜の匂いに変わり、やがて汚物の臭いが鼻を突いた。

土壁に寄りかかってあくびをしていた家畜番がこちらに気づいて立ち上がった。

「ここから先はどんな偉い人も通せねぇ。あんたもだ」

「いつもそうやって見張っているのか」

「当たりめぇだ。これが仕事よ」

「いくらほしい。十ルピーか、百ルピーか」

「へっ？　そんなに？」

「いいから通せ。シコーだ。聞かなかったことにしよう」

家畜番は慌ててひざまずき、頭を垂れて震えている。

通路を抜けると、開けた場所に出た。動物ごとに柵で分け、放牧されていた。牛や羊、馬に驢馬、駱駝《らくだ》、その向こうには豹《ひょう》と虎《とら》もいる。それぞれ奴隷が割り振られ、餌箱の掃除や糞尿の片付けに追われている。敷地が広いので一日働いても終わらないだろう。

一通り回ってみるが、動物の数が多く、奴隷はその陰に隠れてほとんど見えない。ここから探し出すのは手間がかかる。

帰ろうとした時だった。背後で虎の吠え声が響いた。虎は全身が真っ白だ。父が集めた珍種らしい。柵に奴隷が入ったので睨んでいる。奴隷は片腕がなく、使える手で槍を握り、牽制しながら虎に近づいていく。食べ残しの肉を運び出すつもりなのだろう。残した肉は二度と食べず、腐ってしまうからだ。

「カウ、カウ、カウ」

奴隷は奇妙な声を発してにじり寄る。虎は唸るのをやめ、しきりにあくびをするようになった。満腹なのだろう。

「カッカウ、カッカウ」

続く声に虎は首を振ると、尻を向けて遠ざかり、奴隷は素早く槍に肉を刺してこちらへ出てきた。槍の先に小さな頭が見えた。刺さっていたのは餌ではなく、虎の赤子の死骸だった。嫌なものを見た。

忘れようと歩き始めた時、名を呼ばれた。振り返ると、奴隷が片膝を突いて畏まっていた。槍と死骸は脇に置き、手を胸に当てて敬意を表している。

「失礼をお許しください。懐かしいお顔を拝見し、つい叫んでしまいました」

驚きのあまり声が出ない。占星術師ではないか。腕はどうした。いつの間に。懲らしめてやろうとここに放り込んだが、猛獣の番をさせ、腕を取ろうとまでは思っていなかった。罪の意識に声が震えるのを抑えてようやく訊いた。

「どうだな。仕事は」

「ありがたき幸せにございます。シコーさまに神のご加護を。わたくしはこうして生きているだけで十分にございます」

言葉が続かなかった。陽に灼《や》けた身体。汚れたターバン。それでいて整った鼻筋。面影が残っているだけに痛ましかった。この身体で本当にローシャンの所に忍んでいくのだろうか。

「お前にも神のご加護を」

「もったいないお言葉でございます。わたくしのような者に」

「神の前に人は平等だ」

　言った瞬間、違うと思った。この男と自分が同じだろうか。畜舎に放り込まれ、腕を失った男と、絹の長衣をまとい、紅玉《ルビー》の飾りの付いたターバンを巻いたこの自分が。混乱した。神は何をお許しになり、何をお裁きになるのか。

「無礼を承知で申し上げます。この身を憐れと思し召し、どうぞお聞き届けください」

「申すがよい」

「このようなわたくしにも親がございます。デリーの外れで慎ましく暮らしております。そこに手紙を届け、無事にやっていると知らせていただきたいのでございます。送金が途絶え、さぞ心配していると思うからでございます」

「たやすいことだ。すぐにも下の者に命じよう」

「ありがたき幸せにございます。それとついでながらもうひとつございます」

「何だ」

「星の動きを信じてはならぬとお伝えください」

「どうしたことだ。占星術師のお前が星を信じぬとは」

「このような境遇になり、星の動きから何かを知ろうとするのは誤りだったと気づいたのでございます。当のわたくし自身、降りかかる災いを知ることはできませんでした」

「わかった。誰に伝えればいいのだ」

「ローシャンさまでございます」

「何だと？」

「くれぐれも誤解をなされませぬようにお願い申し上げます。ローシャンさまは占星術にご執心でございまして、いろいろとご教示いたしたのでございます。しかしそのすべてが誤りだったと気づいた今、誤謬から解き放って差し上げるのがわたくしの務めでございます」

「自分で告げたらよいではないか。ここを抜け出して」

奴隷は驚いて目を瞠《みは》った。嘘を見抜かれたと思ったのか、答えが予想外だったのかわからない。しかし饒舌《じょうぜつ》だった男は一瞬にして口を閉じてしまった。

「どうした。なぜ黙る」

「申せません」

「言ってみろ」

「無礼に当たります」

「どういうことだ」

「すべてを理解いたしました。どうしてシコーさまともあろうお方が、このような所にお出ましになったのか」

「だから何だと訊いている」

「ローシャンさまはすでにほかの殿方を好いておられます」

「何だと」

「シコーさまはそれをわたくしと勘違いされ、確認のためにおいでになったのでございましょう。シコーさま、恋は気まぐれでございます。神の手にも負えませぬ。どうかローシャンさまをお許しに」

何も言えなかった。何が何だかわからなくなった。この男の言うことはどこまでが真実でどこからが嘘なのか。「ごまかされないようにね」という姉の言葉が蘇る。

「ということは、お前はここから出たことはないと言うのだな」

「いいえ、出たことはあります。腕をなくした時に気を失い、宮殿で治療を受けました」

「では、ローシャンに会ったことは」

「ございます」

「医師と一緒にか」

「いいえ、わたくし一人でございます」

「どこで会った。ローシャンの館だな」

「祈りの館でございます」

「嘘を言うな。アクバル帝が建てた館などはるか昔だ」

「それでも祈りは続いております」

自分の言葉を盗まれた気がした。宗派にこだわらず、祈りを通じて魂の平安を得る。それは自分が言うべき言葉だ。占星術師ごときに言われたくない。

「お前は何者なのだ。星を信じていたかと思えば平然とうち捨てる。気まぐれと出まかせと阿諛追従《あゆついしょう》。災いばかりふりまく悪魔のようだ」

「自分でも我が身をもてあましております。ですからこのまま閉じ込めておいていただきたい。出ると、また不吉なことを招いてしまいそうで恐ろしいのです」

何も言わずに歩き出した。こちらの頭がおかしくなる。この男は呪われているのだ。人を混乱させ、錯乱に陥れる。それを眺めて楽しんでいる。二度と会ってはいけない。

四

ムラードがスーラトの要塞を落とし、こちらに向かっているという。デカンのオーラングゼーブの軍も二月に入って北上を始め、それに合流したらしい。

「いつの間に移動したのだ。速すぎるではないか。オーラングゼーブはデカンにとどまっているという報告しか受け取っていないのだぞ」

「偽の密書が紛れ込んでおりました。実はひと月以上も前に動いていたようでございます」

「だから何度も言ったのだ。本物かどうか確かめろと」

「証文は厳重に調べるよう命じておりますが、遠方のことゆえ、限度が」

シコーの怒りに軍務大臣は顔を伏せた。

「それで敵はどこまで来たのだ」

「ガンビラ川のダルマートです。そこで合流し、帝国の駐留軍と交戦したと」

「こちらが勝ったのだろうな」

「いえ、残念ながら」

駐留軍は父ジャハーンが領土の安定を図るため各地に配置した歩兵隊である。大砲もあるはずだが、二つの軍が相手では歯が立たなかったらしい。

「スレイマンはどうしている」

「ガンジス川のベナレスでようやくシュジャー軍と向き合った頃でございます」

こんなことなら急いで派遣せず、警固のために残しておくべきだった。主力を向かわせたのが悔やまれる。いよいよ自分が出て行かなければならない。東のシュジャー軍は息子に任せ、南のムラード・オーラングゼーブ軍と対決する。

「早々に出発の準備をしろ。敵がアーグラに入る前に撃破する。父を奪われるわけにはいかないからな」

「畏まりましてございます」

戦は久しぶりだった。三十代の終わりの頃、カンダハール攻めを指揮して以来である。あの時は兵士と弾薬ばかり失い、戦果を挙げられないまま引き揚げた。今度は負けるわけにいかない。領土拡大のためではなく、帝位を継ぎ、命を守るためだ。

けれども兵はすぐに集まらなかった。対戦するには五万の兵が必要だが、貴族たちは「馬の病が流行っている」だの「弾薬が届いていない」だのと理由をつけて遅らせた。どちらに味方するのが有利か計算しているのだ。

半月ほど経った日の夕刻、ベーガムが屋敷に現れた。

「いいことを思いついたわ」

「敵を退却させる妙案でも?」

「何言っているのよ。ナディラのことよ。戦いに行く前に仲直りなさい」

忘れていた。妻のことなど考える余裕がなかった。

「どうでもいいことです。いよいよ戦いですから」

「しっかりなさい。軍のほとんどはあなたを支持しているはずよ。父に忠誠を誓っていたのだから第一皇子につくのは当然でしょう」

「それならどうしてそろわないんです。マンサブダールたちは帝国から報酬を受け取っていながら、いざという時になって裏切ろうとしている」

「もっと強い姿勢を見せることよ。そうすればこちらが勝つと思って集まるわ。それより、どうなの?　試してみる気はおありかしら」

「何をです」

「だから仲直りのやり方よ」

開いた口が塞がらなかった。これから殺し合いが始まるというのに何と暢気《のんき》なことだろう。独り身には夫婦喧嘩がおもしろいのかもしれない。

「無理です。妻はアーグラにいる」

「来ているわ。わたしの所に。呼んだのよ」

「どうしてまた」

「敵が攻めて来るというのにアーグラに一人で置いておくなんてひどすぎるじゃないの。いくら父の城だって危険はあるし、人質にでもなったら面倒でしょう」

たしかにそうだった。妻の命が惜しいばかりに戦わずして降伏しようものなら後の世まで笑われる。

「どうすればいいんです」

「簡単よ。キスをするのよ」

どこまで能天気なのだろう。殺さなければ殺される。その地獄が待っているというのに姉の中では妄想ばかり育っている。

「といってもふつうにやるんじゃないわ。それじゃおもしろくないし、あなたも恥ずかしがってしないでしょう。影よ。月明かりの中で」

「ますますわからない」

「庭にナディラを立たせて、あなたは屋上に上がる。月の明かりに照らされてあなたの影が庭に伸びる。その影が庭のナディラにキスをするのよ」

「そんなことがうまくいくはずないでしょう。子どもじみているし、影がそこまで長く伸びるとは思えない」

「やってみなければわからないじゃない。前に読んだことがあるのよ。ペルシャの物語で。すてきな場面だったわ」

困った。少女のままだ。ローシャンならこんなことは思いつかない。

「どうなの。するのしないの？　このまま戦争に行ってかまわないの？」

ベーガムの真剣な声に侍女たちも遠巻きに答えを待っている。馬鹿々々しいが、これを断ると次はいつになるかわからない。

「わかりました。やりましょう。形だけでも」

「それじゃ今夜ね。早いほうがいいわ。空も晴れているし」

ベーガムが去ると、侍女たちはこちらに向かって微笑んだ。

陽が沈んだ頃、部屋を出て階段を上った。石段はひんやりと冷たく、足元にいた蜥蜴《とかげ》が驚いて逃げていく。

宵《よい》の風が顔に当たった。初めて来た。ここには守備兵しか上がらない。薄闇の中に夕焼けが残り、西へ伸びる道には遠くカーブルに通じる石の門が黒い影となって立っている。その左にはラホール門、中心の大通りに沿ってキャラバンサライの屋根も見える。さらに左手には三つのドームとミナレットをもつイスラム寺院のジャーマー・マスジッド。そして赤い城壁のデリーの宮殿。

振り仰ぐと、空は目まいがするほど広く、下界とは別の世界に来た気分になる。

月は東側、ちょうど背後のヤムナー川から昇るはずである。ということは、月の高さによっては自分の影が庭に伸びる。高いほうが短く、低いほうが長くなる。ベーガムはそれを知っていて話を持ちかけたのかもしれない。

蝙蝠《こうもり》が飛んでいる。石壁の隙間に巣があるのか、羽虫を求めて飛び交っている。この時間はいつも部屋にいるので気づかなかった。ウパニシャッドに従えば、蝙蝠の一匹一匹はアートマンであり、それを眺めている自分もアートマンである。個体は違ってもアートマンとしては同じであり、その総体の原理がブラフマンであるという。そこに自他の区別はない。とすると、敵と味方の区別にも意味はなくなる。

声がした。人が見える。ベーガムだ。こちらを見上げて探している。隣にいるのはナディラだろう。チャドルをかぶり、長衣を風に揺らして立っている。離れた植え込みの前には侍女たちもいる。

顔を出すが、気づかない。防戦用に作られた壁の隙間には身体半分も入らず、高さも背丈ほどあるので下からではわからないのだろう。

ようやく月が昇り、明るくなった。夜警の守備兵も上がってきてそれぞれの持ち場に着いた。兵たちはシコーがいることに驚いたようだったが、主人に理由を尋ねるのは憚《はばか》られたらしく、マスケット銃の火縄を調整したり、腰の短刀を吊り直したりしている。

蝙蝠は消え、屋敷の影が庭に落ちた。その先は月に照らされて明るんでいる。ベーガムはナディラを光と影の境に立たせ、シコーが現れるのを待っている。けれどもここにいたのでは影は壁にさえぎられて届かない。

「来てくれ」

シコーの声に兵が集まる。何が行われるのか知りたかったらしく、嬉しそうな顔をしている兵もいる。

「この上に立ちたい」

「落ちたら何となさいます」

「その時はその時だ。今なら月がちょうどいい。早くしてくれ」

監督役の兵の指示で二人が手足を突いて馬になり、さらに別の一人がその上で馬を作った。が、沓を履いたまま乗るのは気が引けた。

「何をなさいます。素足では荒れた壁の上に立てません」

「大丈夫だ。すぐに終わる」

「おみ足を傷つけてはこれからの戦いに障《さわ》ります」

監督役の兵があまりに真剣なので照れくさくなった。

「立って影をつくるだけだ。すぐに降りるから心配するな」

「では、決して真下を覗かれませぬよう」

兵の背中は温かく、少し汗ばんでいた。長衣を着た上から弾薬の帯を巻き、四つんばいになっているので苦しいのだろう。初めの段を登り、二段目に上がると、急に見晴らしがよくなった。空が近く、高さも倍に感じられる。

落ち着いて壁に手を掛け、頭が出た時、下から歓声が聞こえた。思っていた場所とは違うところから現れたらしい。一瞬、目がくらみそうになったが、真下は見ずに体重を壁に移して恐る恐る立ち上がった。

「おやめください」

下から悲鳴が聞こえたが、こうでもしなければ影はできない。

均衡を崩さないように下を見ると、ナディラはこちらを向いて立っていた。ちょうど光と影の境だ。しかし自分の影がどこにあるのかわからなかった。月明かりが弱すぎる。だから無理と言ったのだ。降りよう。儀式は終わりだ。

その時、どこからか馬が乱入してきた。人が乗っている。騒ぎになり、篝火と松明が集まってくる。

使者らしい。ベーガムもナディラも駆け寄り、従者や侍女たちもそれに続いた。すぐに歓声が上がり、手を叩いたり、抱き合ったりしている。

ナディラが離れ、こちらを見上げて何か叫んだ。

「だめだ。聞こえないぞ」

ナディラはチャドルをかぶり直して影に入り、真下まで来て再び叫んだ。

「早く降りてきてください」

「何があったのだ」

「勝ちました。スレイマンが」

「おお」

夜警の兵たちからも歓声が上がった。待っていた。破ってくれると信じていた。シュジャーは死んだのだろうか。それとも敗走したのか。ベナレスはどちらだ。南東は後ろの方角だ。向きを変えようとして均衡を失い、落ちそうになった瞬間、兵たちに抱えられた。

軍勢はそろった。貴族たちはスレイマン勝利の知らせにシコー側が有利と判断し、次々と部隊派遣を伝えてきた。

「反乱軍をひとつ破った後でございます。勢いはこちらにあります」

軍務大臣は血色のいい顔でシコーに告げた。腰に下げているのはいつもの飾り刀ではなく、細身の短剣だ。

「まずはアーグラを目指す。そこからは下れるところまで南下する」

「承知いたしました」

「敵勢には変わりはないな」

「念には念を入れております」

「デリーを頼むぞ」

「は？」

「ここが都だ」

「わたくしは残るのでございますか」

「同行してほしいが、スレイマンの軍が戻るまで誰かがデリーを守らなければならん。そろって離れるのは危険だろう」

「それでは兵法を試す機会を逃してしまいます」

「都を守るのも重要な務めだ」

軍務大臣は渋々承知し、代わりに次の戦では先陣を務めることを約束させられた。

軍の編成は複雑だった。歩兵、騎兵の数ごとに小隊を組み、それを中隊、大隊に組んでいく。さらに偵察隊、工兵隊、重砲隊など役割ごとに分け、それぞれの隊長と士官の名簿も作らなければならなかった。装備は牛に牽《ひ》かせる大砲、銃と弓矢、短剣と長剣、斧、槍、棍棒《こんぼう》、盾、兜、臑《すね》当《あ》てと手甲《てっこう》。楽隊は大小の喇叭《らっぱ》とシンバル、横笛、象の背中に括《くく》り付ける大太鼓。すべて軍務大臣の指示で担当官が手配するが、シコーも全容を把握する必要があった。さらに天幕運搬隊、食糧隊、料理人、医師、芸人、衣装屋、沓屋、金貸し、娼婦も同行し、従軍する役人は滞在先で経費の管理に追われるので、それらを公文書として保管する櫃も運ばなければならない。

先遣隊を送り出し、本隊が出発したのは四月に入ってからだった。夏になり、行軍ではまず暑さが敵になった。アーグラを抜け、南のチャンバル川を目指したのは五月半ばで、暑さはさらに厳しくなった。消耗を避けるため移動は夜明けから正午までと夕刻から宵までに限り、その分、進める距離は短くなった。

「この暑さでは仕方ありません」

昼食後、ナディラは天幕の陰で微笑んだ。薔薇水を肌に塗り、薄地の布で全身を覆っているが、強い陽射しで顔が少し赤くなっている。妻はデリーに残すつもりだったが、ムガルの伝統に則《のっと》り、従軍させている。

「暑いのは敵も同じだ。焦ることはない」

ナディラが干した杏《あんず》を勧めたのでひとつふたつと口に放り込んだ。オアシスとはいえ、緑はわずかで一面が土漠《どばく》である。そこに無数の天幕が並び、色とりどりの軍旗が風に揺れている。休息はすべての隊があらかじめ決めた位置で取るので、ひとつの町が丸ごと移動してきたようだ。

妻とはうまくいっている。息子が勝ったので安心したらしい。この軍も数、装備とも十分で負ける気がしないのだろう。

革袋から本を取り出した。清書した「智慧の書」だ。袋に入れたままでは湿気で文字が滲んでしまう。ほかに十冊ほど写本させ、イタリア商人に預けてある。頁をめくるだけで文字は追わない。

「宝物でございますね」

「戦には無用だがな」

「何をおっしゃいます。せっかくお連れになったのに」

おかしな言い方だった。人ではないし、馬でもない。が、翻訳したのは人であり、サンスクリット語で考え、記したのも人である。そう考えると正しい気がした。

「あの晩、まさか本当に姿をお見せになるとは思っていませんでした。読書の時間でございましたから」

「仲直りをしたかった」

ナディラは軽く溜息をついて遠くを眺めた。言葉が届かなかったのかもしれない。いや、白々しさを感じ取り、不快になったのだ。

「よろしいんです。ご無理なさらないで。本当はわたくしのことなどお忘れだったのでございましょう」

何も言えない。星空と神への憧憬。一方で戦をしなければならないこの世の束縛。その両極に身を置き、耐えてきた。そこに妻の席はない。だからといって別れたままでいいと思っていたわけでは決してない。とにかく余裕がなかった。今も同じだ。

「本当によろしいんです。わたくしも慣れました」

ナディラはそう言って顔を伏せた。下を向くと、睫毛《まつげ》の長さがよくわかる。座った絨毯にはコーランの言葉が織り込まれているが、細かな文様が今は煩わしい。

「それでもあの晩のお前は美しかった。光と影の境に立つ姿はこの世のものとは思えないほどだった」

「おやめください。そのような言い方は。わたくしはわたくしでございます。この世で普通に生きている一人の女にすぎません」

「それでもお前は妻だ。美しいと言って何が悪い」

「本心ではないからです。わたくしが聞きたいのはそのような言葉ではありません」

「では何と言えばいい。これ以上、どう誉めればいいのだ」

ナディラは再び顔を上げて遠くを眺めた。大きな瞳だ。怒っているのか悲しんでいるのかわからない。張り詰めた感情がぎりぎりのところでとどまっている。

うまくいっていると思っていた。仲直りもし、これまで通り暮らしていくとばかり思っていた。何が悪いのだろう。妻の席がないことだろうか。それが妻を追い込み、傷つけてきたのか。仕方がないではないか。この世を超えたものへの渇望と妻への配慮はまるで次元が違う。

「わかってくれていると思っていた」

「ですから申し上げました。慣れましたと」

「ここまでにしよう。これから戦いだ」

ナディラはチャドルを外し、束ねていた髪を留め直した。

「前祝いをいたしましょう」

「きのうのやつか」

「すぐに運ばせます」

ナディラは身を乗り出し、侍女に伝えた。黒砂糖で作った蒸留酒だ。きのうの夜、エチオピアの商人から宮廷番の給仕が買ったという。売りに来たのは敵の回し者で毒が混ぜられているかもしれないと騒ぎになったが、従者が毒味をし、無事だったので皆で飲んだ。

「どういうことなの？」

「それが一滴も」

「誰かが飲んでしまったということね」

「申しわけございません」

妻と侍女のやりとりを聞いて苦笑した。昼から酒を飲むという堕落を神がお咎《とが》めになったのだろう。いや、軍紀が緩んでいるのだ。こんなことは今までなかった。これでは戦に臨めない。

「今夜を限りに酒はやめさせよう。われわれもだ」

周囲は怪訝な顔をしたが、いよいよ敵に近づいていると思い直したようだった。


五月二十九日。夜明けと同時に戦闘が始まった。互いに銃砲を撃ち込み、歩兵と騎兵が陣形を崩そうと突入する。

「こちらのほうが数が上だ。正午までに決着をつけろ」

「そのつもりでございます。左翼、右翼とも、騎兵隊を増やしております」

「大砲の音が少ないのではないか。もっと撃て。砲弾がなくなってもかまわない」

「ははっ」

指揮官は力強く答え、象隊から離れていった。サムガルの平原は見渡す限りの荒れ地でところどころ灌木が茂っているだけだ。お互いの陣容は隠しようもなく、昇り始めた太陽が戦場全体に照りつけている。

シコーは象の上で剣を抜き、輝きを確かめてから鞘《さや》に収めた。ムラードとオーラングゼーブ。子どもの頃はよく遊んだが、成長するにつれてよそよそしくなった。何が隔てていたのだろう。父がそう仕向けたのか。それとも自分の性格が弟たちを遠ざけてしまったのだろうか。狩りより書を好み、談笑より一人で瞑想するほうが性に合った。「兄さんは何を考えているかわからない」。そう言われる度に自分は異端なのだと気づかされた。まさかその弟たちと殺し合いをしようとは。

戦いに勝ったとしても、彼らを捕らえ、処刑することができるだろうか。いざ戦いが始まり、勝利が近づくと、そこまで残虐にならなくてもいいのではないかと思ってしまう。争いごとほど愚かしいものはない。奪い合うなら譲ればいいし、争いが収まらないならその場から離れればいい。大切なのは魂の平穏だ。自分が争いを放棄すれば殺される。しかし自分が帝位に就いた上で弟たちを許せば殺さずに済む。そういう知恵があってもいい。

正午を回った。少し動きがあったらしい。こちらが押されているという。

「どういうことだ」

「申しわけございません。犬が騒ぎまして」

「犬だと？　戦に犬など聞いたことがない。踏みつぶせばいいだろう」

「それが数が多うございまして。馬が驚いて暴れております」

「よし。出番だ。象隊が蹴散らしてやる」

シコーは中央に陣取っていた象隊に号令を掛け、ゆっくりと前進させた。喇叭が鳴る。太鼓も鳴る。地響きとともに百頭近い象の群れが移動する光景は壮観だった。いくつもの山が連なり、壁となって進んでいく。玉座と旗と傘と槍。それぞれの象には羽根飾りの付いた頭巾をかぶせ、二本の牙にはめた金の輪が勇ましい。象も高ぶっているのか制止を聞かずに走り出そうとする。突進させるのはまだ早い。

たしかに犬が放たれ、騎馬隊が混乱していた。歩兵も味方を撃つのを避けようとして手が出せない。指揮官の指示で象隊の先陣が突入し、犬を踏みつぶそうとする。象使いたちは激しい動きに落ちないようにするのに懸命だ。

そこへ敵の砲撃があり、轟音と土煙が炸裂した。破片で馬が倒れ、象も暴れる。さらに騎馬隊が縦横無尽に駆け回り、こちらの陣形は崩れ始めた。歩兵は刀を振り、槍で突き、血しぶきの中を駆け回る。敵も血みどろになって突っ込んでくる。

その時、遠く旗印が見えた。赤地に白で月と星が描かれ、竿の先では青銅の剣が鈍い光を放っている。オーラングゼーブか。あの奥の象隊の中央で輿に乗り、立ち上がって剣を突き上げているのは弟のオーラングゼーブなのか。何年ぶりだろう。デリーとデカンに分かれ、互いに密偵を使って情勢を探り合ってきた。病になった父を暗殺されたと宣伝し、挙兵を正当化した弟。顔はわからない。しかし伸ばした背筋と堂々とした体軀《たいく》は間違いない。そして少し離れて末弟のムラード。六代皇帝を宣言したらしいが、誰も認めていない。それでも剣を振り回し、喚いている。今こそ決着をつけてやる。誰よりも神を仰ぎ、言葉を磨いてきた男がいかに強靭《きょうじん》か見せつけてやる。

象隊の活躍で犬は散り、陣形も再び整ってきた。敵兵が倒れ、射られた馬は脚で虚空《こくう》を掻いている。喇叭が鳴り響き、前進するよう軍を鼓舞し続ける。

日が暮れてきた頃には形勢が有利になった。死体が転がる中を左翼も右翼も押し返していく。死闘に次ぐ死闘。捨てられた死と踏みにじられた死。愚かしさはおびただしい死によってさらに愚かになる。

その時、乗っていた象が突然立ち上がった。飛んできた槍が象の尻に命中したのだ。突然のことに手綱をつかみ損ねた。こらえきれずに転げ落ち、象と馬の狭間《はざま》に倒れ込む。どこかで見た光景だった。落ちた象使いは踏み殺される。

すぐ目の前を象の足が横切る。馬の脚も駆け抜け、矢が降り注ぎ、罵声と歓声が入り乱れる。

「殿下。お逃げください」

指揮官が連れてきた馬にしがみつき、必死に背中に這い上がる。

総大将が象の上から姿を消したのを見ると、敵は一気に攻め寄せ、自軍は総崩れとなった。右へ左へと逃げ惑い、味方が味方の邪魔をする。刃が唸り、槍が光り、銃声が轟く。象の上に戻らなければと思うが、象たちは次々に撃たれ、崩れていく。敵の数が急に増えた。温存していたのだ。騎馬隊が駆け抜けざまに兵を斬り、戻ってきたところで別の兵に襲いかかる。鮮血と脂の臭いが立ちこめ、呻き声と悲鳴が響く。楽隊の喇叭も太鼓も音が消え、気がつけば後方に向かって馬を走らせていた。

夜更けだった。たどり着いたアーグラの城は壁も塔も朧《おぼろ》な月明かりの中に沈んでいた。馬は疲れ、城門を過ぎたところで動かなくなった。途中の村で何頭か乗り継いだが、走り続けなので無理もない。シコーは馬を下りて歩き、駆け寄ってきた衛兵に飲み物と食事を要求した。衛兵は第一皇子本人が来たことが信じられず、上官がいないことを理由に渋っていたが、遅れて到着した妻や侍女たち一行を見てようやく納得した。

父はどこだろう。池に面した奥の間か、正面中央の最上階か。会えるはずがない。敗北を伝えるのは惨めすぎる。休んだらデリーに戻ろう。

部屋に入っても皆黙っていた。何が起きたのか信じられないのだろう。汗と埃で汚れたまま壁やクッションに寄りかかっている。藪《やぶ》でこすったのか足首から血を流している者。生気を失い、呆然と灯りを眺める者。総勢五十人くらいだろうか。指揮官の姿はなく、兵士も少ない。目立つのは運搬役の奴隷、料理人、女たち。

香ばしい匂いがした。焼いた羊の肉だ。が、配られても食欲があるのは数人で、ほとんどは少し口にしただけで皿に戻してしまう。食べるより眠りたい。追っ手が来る前に出発しなければならない。

ナディラが壁に寄りかかったままこちらを見ていた。何か言ってほしいのだろう。けれども言葉が浮かばない。あれほどの大軍がどうして崩れたのか。大砲も銃弾もこちらが優《まさ》っていたはずなのにどうして敗れたのか。戦術の差だろうか。執念の違いだろうか。

デリーに帰ってどうするかはわからなかった。伝令を走らせているので、敗戦の報は軍務大臣には届いているはずである。「自分を連れていかないからです」。激怒する姿が目に浮かぶ。

微睡《まどろ》んだ後、号令を掛けて出発した。新しい馬を用意させ、護衛の兵も増やした。大砲も天幕も運ぶものは何もない。あすの朝には着くだろう。デリーにはスレイマンの軍が戻っているはずである。要所を固めて敵を迎え討てばいい。

「血が滲んでいます」

背中でナディラの声がした。後ろにまたがっている。眠っていると思っていた。

「右の肩だろう。お前は大丈夫か」

「お尻が痛いだけです。鞍《くら》が硬くて」

「象の輿があればな。優雅でよかった」

「水浴びをしたい」

ナディラはそう言って身体を預けてきた。背中に柔らかな胸が重なり、首に頭がもたれかかる。疲れているのだ。甘えることはほとんどなかった。愛おしくなり、片手をナディラの膝に置いた。細く、骨張っていた。絹を通して形がわかる。そのまま臑へ滑らせ、再び膝を愛撫した。顔を左の肩にこすりつけるので、鼻に肉が押された。頬の骨も当たり、鼻が何度も行き来する。膝をつかんだ時、肩に軽い痛みが走った。嚙んだのだ。逃れようと思ったが、そのままにした。詫びのつもりだった。

デリーに入った時には陽が高くなっていた。城門は開けられたが、様子がおかしい。大臣たちの姿はなく、見慣れない下級官吏《かんり》が書類を抱えて行き来している。汚れたままの服で執務所に入り、置かれていた水差しから一口飲んで命令した。

「軍議を招集する。アーグラに兵を出して城と父を守らなければならない。急いで人を集めてくれ」

大声で繰り返すが、誰も立ち止まらず、聞いてもくれなかった。

「どうしたのだ。戦いはこれからだろう。おい。答えろ」

ようやく官吏を捕まえ、問いただすと、大臣や高官たちはジャーマー・マスジッドにいるという。近くのイスラム寺院だ。オーラングゼーブとムラードの連合軍が攻めてくるので姿を消したのだという。

「何ということだ。夜を徹して戻ってきたというのに」

「お言葉ですが、シコーさまの軍勢は負けたと伝えられました。隊長はことごとく首を取られ、残った兵はすべて寝返ったと」

「それで城を捨てたのか。俺はまだ生きているぞ。決着はついていないのだ」

「しかしながら迎え討とうにも軍がおりません」

「息子はどうした。スレイマンの軍が戻っているはずだ」

「シュジャー軍の残党を追い、未だここへは」

「何ということだ」

ターバンを取って石の床に投げ捨てた。スレイマンはまさか父の軍が負けるとは思っていなかったのだ。援軍が必要と判断すれば、すぐに戻っていただろう。戻るどころか東へ進軍しているとは。伝令を出すべきだった。敗北を伝え、逃亡を促す使者ではなく、巻き返しを図るよう鼓舞する使者を。

「すぐに大臣どもを呼び戻せ。このまま負けるわけにはいかない」

「わたくしには荷が重すぎます。もっと高い身分の方にご命令ください」

「シコーが来いと言っているのだ。そう伝えれば来るはずだ」

官吏は黙り、遠巻きにして聞いていた者たちも口を閉じてうつむいている。裏切るのか。ここへきて。仕える主人は誰でもかまわないというのか。信じられなかった。もろい。もろすぎる。

「もう頼まぬ。自分で出向く」

馬を用意させ、数人の兵を連れて寺院に向かった。一度馬を下りているので、尻と内股が腫れて痛い。

寺院に乗り込むと、聖職者たちは露骨に嫌な顔をした。異教に関心を持ち、理解しようとしてきた自分は敵なのだ。それがイスラムを極めるためだったとしても彼らにはわからない。

「案内しろ」

ようやく通されたのはモスクの広間で、大臣や高官がそろって礼拝しているところだった。シコーもひざまずき、礼拝しようとした。が、なぜか抵抗を覚えた。生まれて以来、一日に五回、決められた通りにやってきた。しかしどうしたというのだろう。何かに邪魔されて動けない。戦いの後で気持ちが高ぶっているのだろうか。敵が攻めてくるというのに礼拝している場合ではないと焦っているのか。いずれにしても、メッカの方角の壁に男たちがそろってひざまずき、頭を垂れている姿は異様に思えた。何を祈っているのだ。今、祈って何になる。

シコーは初めて礼拝を拒んだ。祈るとすれば勝利である。だが、それは敵も祈っている。神はどちらをお選びになるのだろう。勝者と敗者を何においてお決めになるのか。

震えが走った。湿気と人いきれのモスクの中で、自分だけが異端者として立ち、神の裁きを待っているように感じたからだ。しかも神のお答えはすでに出ている。有罪であると。だから敗走したのだ。

アッラー。唯一の神よ。あれほど求め、憧れてきた自分が、信仰においては弟たちに劣るとおっしゃるのか。キリスト教徒と交流し、ウパニシャッドを翻訳した自分はムスリムとして認められないと言われるのか。それに比べ、ここに控えている聖職者ども。考えず、苦しまず、教義を繰り返すだけの愚鈍な者ども。まさか連中のほうが信仰において優っているとお考えか。だとするなら、あまりに酷《ひど》い。求め、疑うという葛藤なくして真の信仰はあり得ない。その苦悩を通過した者だけが神を識《し》り、語れるのだ。自分はその一点に生涯を懸けてきた。にもかかわらず、そなたは。

外に出た。午後の陽射しが屋根に照りつけ、長い影が伸びている。そこに鳩の群れが集まり、灰色の羽を休めている。礼拝の拒否。最大の罪である。しかしアッラーがわたしを裏切ったのだ。それくらいの反抗は許される。

鐘が聞こえた。ポルトガル人の教会らしい。破壊されたのにいつの間に再建したのだろう。鐘の音は天に上り、空に広がり、灼熱の午後の町にも優しい神の恩寵を降り注ぐ。慈悲と愛。彼らの教えに何の罪があるだろう。われわれも同じだ。慈悲と愛をもって人に交わり、世を作り、去ればいい。そしてアートマンとブラフマン。すべてであり、個でもあるという透徹した原理。そこに流れているのは慈悲と愛だ。それだけのことなのにどうして人はいがみ合うのだろう。

「お久しぶりでございます」

軍務大臣だった。礼拝を終えたせいかさっぱりとした顔である。

「宮殿に戻れ。軍議を開く」

言葉にならなかった。その後ろに財務、農務などの大臣や高官の姿が見えたからだ。いや、声を出す気が失せていた。神から離れた今、生きる方向を失った。

「あすには敵勢が寄せてきます。シコーさま、お逃げください。隊をつけます」

「本気で言っているのか。兵法を試すのではなかったのか」

「その時期は過ぎました。都城《とじょう》の防戦では勝ち目はありません」

「スレイマンが戻ってくる」

「シュジャー軍を破った勢いでさらに東に進み、ベンガルを目指していたと聞いております。

しかもシコーさまの敗北を知って寝返った隊もいるとか」

「本当だろうな」

「現にデリーには来ておりません」

「孤立無援というわけか」

「ですから隊をつけると申し上げております」

「同じことだ。帝に信頼されていた皇太子ともあろう男が、たった一度の敗北で都を追われるとはな」

「それがこの世でございます」

「お前たちはどうする」

「新しい皇帝を迎え、治世のお手伝いをいたします」

咳が出た。いや、咽せたので咳を装ってごまかした。饒舌な語り口。浅薄な言葉だけが溢れ、誠意と真はどこにもない。安手の言葉は魂を離れ、欺瞞《ぎまん》の輝きで己を隠そうとする。事実、隠れるのだ。人は輝くものにはいつも弱い。

「世話になったな。しかしこれが最後ではないぞ。また会おう。次に会う時はこれまでと同じか、いや、それ以上に何かが変わっているはずだ」

「おっしゃることがわかりません。とにかくお急ぎください。オーラングゼーブさまの軍隊はよく訓練されておりますゆえ」

卑屈な声だった。鐘の音はもう聞こえなかった。

五

七月の初めだった。潜伏しているラホールに次々と知らせが届いた。父ジャハーンがオーラングゼーブによってアーグラの城に監禁されたという。オーラングゼーブは「兄こそ裏切り者であり、罪人である」と父に訴え、六代皇帝として認めるよう求めたが、聞き入れてもらえなかったので攻めたというのだ。父は籠城《ろうじょう》し、抵抗したが、水路を断たれ、降伏したらしい。何ということだろう。老いた父を捕らえて何になる。いや、気づいていたのかもしれない。父が自分を支援していることを。デリーを出発した直後、金貨と宝石を象に積んで届けてくれた。西のラホールを目指すと伝えておいたので後を追いかけてくれたのだ。また別の知らせによれば、オーラングゼーブはアーグラに続いてデリーも支配し、勝利宣言をしたという。皇帝に推していた弟のムラードは投獄し、軍を支配下に入れたらしい。初めからそのつもりだったのだ。

いつまでもここにいてはいけない。ラージプートに援軍を頼み、アーグラを攻めよう。そこで父を救い出し、デリーに突き進む。妻や側近も疲れは癒えた頃だろう。

南下してラージプートたちの領地ラージャスターンを目指そうとした時、追っ手の知らせが届いた。オーラングゼーブ軍数千騎がサトラジ川の東に迫っているというのだ。

「数千騎もいるのか。アーグラとデリーにも駐留しているはずだろう」

「知らせは知らせにございます。とにかくすさまじい数であると」

隊長の声は震えていた。まともにぶつかれば潰される。シコーの判断によっては自分も死ななければならない。

「では西に進もう。敵を避けてから南に下る。そこでヒンドゥーの王たちを味方につければ戦える」

「信じてよいのでしょうか。ラージプートの諸王を」

「関係はいい。息子も預けたくらいだからな」

「スレイマンさまを？」

「そうだ」と答えて息子はどこにいるのだろうかと苛立った。そろそろデリーかアーグラまで戻っていい頃だが、オーラングゼーブの命令を受けた在地勢力に抑え込まれているのかもしれない。伝令を出しても連絡がないことがそれを示している。

「西に進むと、川を渡らなければならないようであります」

案内役の土地の男に確かめてから隊長が言った。

「インダス川か？」

「その手前のチェナーブ川です」

「ということは、どこかで舟が手に入れば川を南下できる」

行軍が続いた。ラホールに逃げ込んだのはパンジャブ総督を務めていた関係で支援者が多かったからだ。今から向かうのは見知らぬ土地である。これが現実だ。この世を軽んじてきた者はこの世によって裁かれる。

八月になっていた。ようやくチェナーブ川までたどり着いたが、南下は危険だという。敵は二手、三手に分かれて追いかけてくるらしい。

「西に進もう。都から離れるばかりだが仕方がない」

「川の向こうは砂漠なのでこれ以上案内できないと申しております」

「かまわぬ。目指すのは陽が沈む方角だ。迷いはしないだろう。褒美をやって放してやれ」

隊長は男を連れて天幕から離れたが、部下に命じて殺してしまった。敵に捕まり、動きが漏れるのを防ぐためだ。

「念には念を入れませんと」

「そうであったな」

本来、自分が命じるべきだった。隊長はそれを不満に思い、わざわざ戻って告げたらしい。

浅瀬を渡り、水を汲んで出発した。当てはあった。インダスの要塞バカル。アフガニスタンやペルシャからの侵入を防ぐため、ムガル帝国が築いた軍事拠点だ。武器も食料も豊富だろう。

砂漠の暑さは容赦がなかった。太陽より月がいい。人々がそう思うのは理解できた。照りつける陽射しより、月明かりのほうが穏やかで優しい。母ムムターズを思った。ジャハーンとともにどれほどの距離を移動したことだろう。宮殿にいるより、幕営地から月と星空を眺めることのほうが多かったかもしれない。追われる身とはいえ、同じ境遇にある。母が見上げた星空と自分が眺める星空。あるいは古代バラモン僧やモーセ、イエスが見た星空と今の空。天の流れに比べれば人の世などほんの瞬きでしかない。それでもそこに身を捧げるしかないとは何という束縛だろう。革袋には「智慧の書」が入れてある。それはこの世を超え、天の流れと一体になる。そして記された文字が言葉としての力を持ち、この世を外から包むのだ。

バカルは荒れていた。要塞だけあって城壁は二重で高く、塔も堂々としていたが、残っていたのは老兵ばかりで武器はほとんどなかった。戦になってから兵が持ち出したり、売り払ったりしたという。失望した。ここで落ち着き、次を考えようと思っていたからだ。これでは追っ手が来ないことを願うしかない。

西の向こうに乾いた山々が見えた。アフガニスタンとペルシャへの入り口である。インダスは川幅が広く、水は澄んでいて、ところどころ急流になっている。従者たちが象から荷を下ろすと、象は自分から川に向かった。久しぶりの水が嬉しいのか、鼻で水を吸い上げ、背中にかけて遊んでいる。輿が括られる肩の周りは皮が剝げて白くなっている。

広げた傘の下で眺めていると、ナディラが来た。

「どこまで行かれるおつもりですか」

「どこまでもだ。そしてアーグラとデリーに戻ってくる」

ナディラは力なく笑った。もう少し確かな答えが返ってくると期待していたのだろう。しかし頼りにしていた要塞がこれではほかに言いようがない。

「敵はここまで来ないかもしれない。ムガルの西の端だ。アフガニスタンにでも逃げたと思って引き返すかもしれない」

「では、しばらくは供の者たちに休息を」

「そのつもりだ」

わずか二日後だった。追ってきたという。遊牧の民が案内役だった男の遺体を見て一行の存在を告げたのだろう。期待は惨めに崩れた。遺体を埋めておくべきだったと後悔する。

「西へ進んで保護を求めますか。ムガルの皇子とわかれば無下にはしないはずです」

隊長はやつれ、ほとんど泣きそうな目をしていた。

「山の部族とは何度も戦ってきた。今さら受け入れてもらえないだろう」

「ではどうなさいます」

「インダス川を下る。ラージャスターンで東に進み、ラージプートと合流するのだ」

「まだそのようなことをお考えですか」

「ほかに手はないだろう。それとも降伏すれば助けてくれるとでも思っているのか」

「では、ラージプートたちなら必ず助けてくれると？」

「助けてもらうのではない。ともに戦おうと呼びかけるのだ。父の財宝が残っている。それを渡せば嫌とは言わないはずだ」

要塞に残されていた舟は十二艘《そう》だった。塗りが剝げ、舵《かじ》が壊れているものもあったが、海ではないので十分だろう。象はあきらめなければならない。途中で暴れたら転覆してしまう。残すか殺すかで意見が割れた。敵の手に渡すのは得策ではない。といって殺すのは忍びない。

「わたしが象と残り、追っ手と戦います」

隊長の言葉とは思えなかった。寝返りたいだけだろう。それを聞いてほかの兵も動揺し、「残って戦う」という勇ましい逃げ口上が相次いだ。軍務大臣を思い出した。忠誠心は利得が見込めればこそであって敗色が濃くなれば離れていく。腹は立たなかった。それで生き延びられると思うなら思えばいい。一度離反した者を次の誰が信頼するだろうか。命乞いをしても殺されるのは目に見えている。

結局、舟に乗ったのは半分ほどだった。すべて忠誠心からとは限らない。いずれ死ぬ運命なら少しでも見込みのあるほうにと賭けただけだ。

「こちらに鼻を上げているわ」

「象も寂しいのね」

侍女たちは屈託がなかった。敵に辱めを受けるより逃亡を続けたほうがいいに決まっている。シコーは味方が割れたことでかえって勝運を感じた。ここにいるのは自ら選んだ者たちである。団結が強くなったせいで気力が蘇った。舟は残らず運び出し、縄でつないだ。敵に使わせるわけにいかない。

「あとは流れにまかせて下ればいい。しばらく舟の上でゆっくりできる」

「こんな所で舟旅ができるとは」

ナディラの笑顔にも少し生気が戻った。


「いつでもいいぞ。出陣の時は言ってくれ」

「ありがたい。あと三千だ。二万騎そろえば出撃しよう」

「ほかの氏族にも声をかけてある。途中のジョードプル辺りで合流できるだろう」

スィングは自信満々だった。戦にかけては負けを知らない。ラージプートの男たちは幼少から馬にまたがり、山や砂漠を走って育つ。馬上から弓を射たり、刀を振ったりする訓練も受ける。ムガルの支配に激しく抵抗した勇猛さは語り継がれていて、オーラングゼーブの軍もここまでは追ってこなかった。

デリーを出てそろそろ半年。いくつか知ることがあった。姉のベーガムが捕らえられてアーグラに監禁されたという。「父の世話」というのが表向きの理由だが、シコーが妹のローシャンを監禁したのでその報復だろう。ローシャンは解放され、デリーの宮殿で優雅に暮らしているという。また、オーラングゼーブはシュジャーを追っていると聞かされた。シュジャーは息子のスレイマンによってベナレスで敗れたはずだが、ベンガルに逃げ戻り、オーラングゼーブにも抵抗しているらしい。「東地域を統治しろ」というオーラングゼーブの要請を拒否し、あくまで皇帝の座を求めているという。スレイマンの行方はわからないままだった。どこかに潜んでいるのだろう。死んだという話が伝わらない以上、そう信じるよりほかにない。

「まずはアーグラで父と姉を解放し、その勢いでデリーに攻め上りたい」

「となると、最初に敵と出会うのはアジュメールかジャイプルだ。スレイマンが近くにいれば手勢を連れて現れるだろう。そういう男だ。あんたと違ってな」

「わたしだって戦おうとしている」

「気を悪くするな。敵と向き合った時の気迫のことを言っている。あんたは指揮官だ。命令はするが、殺し合うわけじゃない。それはそれでいい。学者先生は本を読んでいるほうが似合っている」

スィングは白い煙を吐いた。大麻《たいま》だ。だから今夜は遠慮もせずに言いたいことを言っている。学者先生。たしかにそうだろう。しかし本の中にばかり閉じこもっているつもりはない。この世にも目を向け、背負っているではないか。

「駱駝の話を知っているか。ザラスシュトラという」

聞いたことがないので首を振った。

「本には出ていないだろう。祖父から聞いた話だ。千年以上も昔、ペルシャにいたという。全身が金の毛に覆われ、いつも群れから離れていて、性格はおとなしく、近づいても噛みつかないが、荷を背負わせると振り落としてしまうんだそうだ。おとなしいくせにわがままで役立たずな駱駝は殺して食べてしまおうということになって、ある晩、村の男が刀を手に近づくと、駱駝は眠らずに四本の脚で立っていた。次の晩も、その次の晩も、立ったままだったという。これはおかしいというので長老に相談すると、少し考えてこう言ったらしい。『見えないものを背負っておるに違いない。だから荷を背負わそうとしても振り落とし、休もうともしないのだ』と」

不思議な話だった。群れない駱駝。眠らない駱駝。

「それで殺されずに済んだのか」

「さあな。あくまで話だ」

「名前も妙だ。ザラスシュトラとは」

「妙なことがあるもんか。ゾロアスターのことだ」

シコーは驚いてスィングを見た。大麻が効いているらしく、目を閉じてわずかに頭を揺らしている。ゾロアスターがこの世を善と悪の闘争として説明したことは知っている。その信者は火を聖なるものとして拝み、寺院では炎を絶やさないという。けれどもゾロアスターが駱駝というのはどういうことだ。

「祖父はヒンドゥー教徒のはずだろう」

「そうだ。しかしその祖父の、そのまた祖父となると、何を信仰していたかはわからない。もともとわしらは西のほうからやって来たんだ」

「ゾロアスター教徒だったかもしれないと？」

「ああ。だが、火は拝まない。火は肉を焼くためにある」

スィングは笑って大麻を吸い込んだ。煙がこちらに流れたせいか、シコーの頭もぼんやりしてきた。目を閉じると、人影が見えた。狭い部屋で机に向かっている。老いた男だ。寒そうだ。どこの国だろう。鳥の羽根を動かしている。何か書いているらしい。傍《かたわ》らには本が開いてある。字は見えない。男が振り返った。老いていると思えば若かった。いや、景色が変わったのだ。今度の男は立ち上がってぶつぶつ言っている。そのまま歩き回り、また座り込んだ。両手を髪に突っ込み、掻きむしる。何か記した。見えるが、意味がわからない。いや、わかる。わかってしまう。

「聖者の内面の歴史は魂の相剋《そうこく》と試煉《しれん》に満ち満ちている」

何という言葉だろう。今になって。それにお前は誰なのだ。まるで自分のようだ。また立ち上がった。両手を振り上げて叫んでいる。何に囚われているのだろう。何をとらえようとしているのか。答えてくれ。どうして聖者《スーフィー》と記したのかを。

「感じるだろう。だから大麻は欠かせない」

目を開けると、スィングがこちらを見ていた。

「何が起きたのかわからない」

「何も起きちゃいない。少し風が吹いただけだ。それに戦いの前にはこいつがいる。恐怖心を和らげてくれるからな」

「違う。もっと切実なことだ」

「混乱しているだけさ。じきに醒める」

翌一六五九年、三月中旬。アジュメール近くの丘でオーラングゼーブ軍と遭遇した。こちらの動きは筒抜けだったのだろう。早々に布陣を終え、待ち構えていた。塹壕《ざんごう》を掘り、逆茂《さかも》木《ぎ》を並べ、左翼から右翼まで展開した部隊の背後で色鮮やかな旗が翻っている。三万騎はいるだろう。自軍は一万数千。合流するはずのラージプート軍は現れず、もはやこの軍勢で戦うしかない。東はアーグラ、北はデリー。ここを突破しなければ都と父姉を奪還できない。

正午過ぎ、敵陣で太鼓と喇叭の音が響き、一斉に攻めてきた。矢が飛び、銃声が響く。土埃と鬨《とき》の声。自軍も先頭に陣取ったスイングの号令で突入し、正面から激突する。刀がぶつかり、槍が伸び、手斧が振り下ろされる。歩兵と歩兵が組み合い、転がり、鮮血が飛ぶ。その合間に続く砲撃と銃声。サムガルを思い出した。あの時も後陣の象隊にいた。光景は同じだ。しかし今はことごとく逆転している。都を背に迎え討つ立場と、都を追われて再び攻め上る立場。敗北を知る前と知った後。

ラージプート軍は健闘した。数において劣勢でも動きが速く、敵を翻弄して陣形を崩していく。馬の扱いは見事で駆け抜けざまに次々と斬り倒す。正面と見せかけて背後に回り、背後と思えば脇から槍を繰り出す。敵もよく訓練されていた。陣形を守り、犠牲者が出るのを最小限に抑えながら着実に前進してくる。

攻防は一進一退だった。消耗し、次第に動きも鈍くなる。陽が傾き、夕闇が漂い始めた頃、両陣営ともいったん兵を引いた。

「あの子は来てくれませんね」

「囲まれて動きが取れないのだろう。まだベンガルにいるのかもしれない」

「でしたらこちらのことなど知らないのでしょう」

「とにかく勝てばいい。そうすればどこからか現れる」

翌日は朝から暑かった。乾季から暑季へ変わる頃である。一夜明けて急激に気温が上がることも珍しくない。捨て置かれた死体は陽射しに熱せられて早くも浮腫《むく》み、血が乾いて黒ずんでいる。食糧はある。水もある。気がかりなのは弾薬だった。きのうの戦いで撃ちまくり、きょうで使い果たしてしまうだろう。

「それは敵も同じはずだ。刀と槍でなぎ倒せばいい」

威勢のいいスィングの言葉で早々に軍議を終え、突撃した。相手の動きは鈍かった。疲れが残っているのか、きのうのように出てこない。暑さを考え消耗を避けているのかもしれない。しかし戦は攻めるほうが勝つ。自軍の兵は駆け回り、突き倒し、斬り続ける。騎馬隊も割り込み、蹴散らし、次から次へと攻めていく。

シコーは象使いに命じて右翼の端まで進ませた。同じ位置にいたのでは戦況全体がわからない。輿の底に敷いたクッションは山羊革らしく、柔らかいが、少し臭う。灌木から落ちた枝と乾いた土塊を押しつぶし、のしりのしりと移動する。

端から見ると、敵の隙がよくわかった。疲れて水を飲んでいる兵、食べている兵。矢と銃弾も運ばれ、それぞれの係が配っていく。いや、隙ではない。戦いは一日続くのだ。これくらいの準備は当然だろう。

何かが目の下をかすめた。大きな羽虫かと思った。すかさず護衛の兵が反撃に飛び出し、地面に隠れていた敵兵に槍を刺した。

「戻りましょう。これ以上は危険です」

護衛の声に急旋回し、陣営目指して駆け戻った。間一髪だった。矢がこめかみに刺さっていれば命はなかった。

午後になり、敵が動くようになった。陣形が広がり、左右から挟むように攻めてくる。兵隊の数が増えた気がする。銃弾と砲弾の量も違う。防戦に回った自軍は倒され、腕が飛び、足が飛んだ。血しぶきが砂を濡らし、脳漿《のうしょう》が土を染め、それを天にとどまる太陽が灼き浄める。

敵も疲れてきた。それに救われた。こちらに余力は残っていない。夕闇が傷兵を抱き、夜が兵を戻していく。言葉は消え、荒い息づかいと泥のような疲労が戦場を眠りに落としていく。何も考えられなかった。どうしてここまで戦わなければならないのだろう。獣は互いを殺さない。

寝静まった明け方だった。番兵の喇叭が響いた。飛び起きて幕外に出れば丘の彼方から敵兵が迫っていた。危険を察知し、妻や侍女を馬に乗せる。天幕の柱に吊した刀を取り、腰に下げる。反撃の号令。騎馬隊の出陣。その後ろに歩兵が続き、象隊は陣幕の周囲を守り固める。

銃声が始まった。薄紫の闇が残る戦場に火花が咲き、光が散る。人影が倒れ、次の歩兵は立ちすくむ。弾薬は尽きていた。矢も刀もことごとく使い果たした。敵は夜中のうちに補給し、兵力も増員している。

「戦うな。これまでだ」

いくら叫んでも届かなかった。敵の総攻撃に自軍はひたすら潰され、屍《しかばね》となって転がっていく。

「よし。わたしも行く」

馬にまたがり、刀を抜いた。自軍の殲滅《せんめつ》を見て逃げるわけにはいかない。これがこの世からの復讐だ。だからこそ違うものを求めた。澄み切った言葉。透徹した知恵。そんなものがどこかにあった。

馬の腹を蹴り、供回りの兵と走り出る。顔に風が当たる。鞍が揺れ、腰が浮く。手綱が指に食い込み、馬の涎《よだれ》が飛んでくる。アッラー。たしかに偉大だ。しかしわれらにかけた呪いをどうして解いてくださらないのだ。殺し合い、殺し合わせる終生の呪いを。

どこを走っているのだろう。銃声と砲撃の嵐の中で聴覚は麻痺し、目前に広がる風景もゆがんでくる。火柱が上がり、土砂が散り、紫煙《しえん》と白煙が方角を狂わせる。声がした。スレイマンか。違う。馬が止まり、妻や侍女たちの一団が現れる。それにあの男。書き物をし、髪を掻きむしる男。いるはずがない。ここは戦場だ。が、何か告げている。姿は見えなくても言葉は届く。「聖者の内面の歴史は魂の相剋と試煉に満ち満ちている」。そうだ。死んではならない。逃げなければ。兵たちに退却を命令する。いや、とうに自軍は逃げていた。逃げられる者はことごとく逃げ、天幕は燃え、天を焦がすはずの炎は朝の光に負けていた。

「どういうことだ」

「町に入れません。通じる門がすべて閉じられております」

「城門ではなく、町の門が？」

「さようでございます」

知らせは出した。アフマダーバードの城の司令官はスーラトの要塞と同じく、ジャハーンに忠誠を誓っていたはずだった。それを頼みにこちらの窮状を訴え、援護を申し入れたのだ。けれどもとうにオーラングゼーブの支配が及んでいたらしい。

川縁に平らな土地を見つけ、野営することにした。といっても天幕は遊牧の民から買った粗末なもので、柱は低く、風が吹けば倒れそうになる。一行はおよそ五百人。落ち延びる途中で合流した兵もいれば、最後尾を歩いていて盗賊に襲われ、命を落とした兵もいる。

食事を待つ間、城に使者を出し、医者の手配を頼んだ。ナディラの体調がよくなかった。水が悪く、下痢が続いている。

「せっかくだからお魚が食べたいわ。気分も変わるし」

「そう思って豆と一緒に煮ております」

料理人と妻のやりとりを聞いて食欲があるのはいいことだと思った。すぐ南は海である。肉ばかりでは飽きてしまう。

夜になった。警戒の篝火は少ししかなかった。今さらどこにも行きようがない。とにかく城に入れてもらおう。

あらためて城に書簡を送ろうとした時、ようやく使者が現れた。背の高い異国人も一緒である。フランスから来た医師という。ベルニエと名乗った。異国の男に妻を診てもらうのは抵抗があったが、ほかに手はない。

「悪い水にやられたようだ。いい薬がほしい」

「では、謹んで」

医者は伏せていたナディラの傍らにひざまずき、松明の火を近づけた。ナディラは身体を起こしたが、ムスリムらしくチャドルで顔を隠している。ベルニエはこれでは診察できないと訴えるようにこちらを見たが、イスラムの教えを承知しているらしく、侍女を通じてあれこれ訊くだけである。居心地が悪く、外に出た。

雲が出ていた。ここは雨季だ。砂漠地帯を下ってきたので湿気を含んだ風が心地いい。星は見えない。月はどこかと探せば、雲の背後でようやく幽《かす》かな光を放っている。争いが始まって以来、王族は誰も死んでいなかった。弟三人をはじめ、父も姉も妹も。死んだのは数百、数千の兵と牛馬ばかりである。もはや父と姉の奪還は無理だ。デリーに攻め込むなど考えるだけで虚しくなる。兵が集まらないからだ。ラージプートも最後の部隊は駆けつけてくれなかった。合流した兵によると、スィングは主力の部隊を連れて地元に帰ったという。本気ではなかったのだろう。彼らにとっては新しい皇帝が誰であろうとかまわないからだ。勝負はついた。これ以上は無駄である。では、どうする。ダーラー・シコーよ。お前だけではない。信じ、付いてきてくれた者たちのことも考えなければならない。

「薬草と馬の油を処方しました。胃腸の力が蘇るはずでございます」

ベルニエだった。外で見ても目が青い。昼間ならもっと青く見えるだろう。背が高く、顔は半分上にある。

「礼を言おう。だが、ご覧の通り、ふさわしい褒美が何もない」

「お気持ちだけで十分でございます」

「せめてうまい酒でもあれば」

「この暑さでは身体を壊します」

「医者だけあって厳しいな」

「ひとつだけ質問を」

「聞こう」

「これからどちらへ」

「まだ決めていない。それまで城で世話になるつもりだ」

使者がこちらを向いて首を振ったが、無視して続けた。

「これだけの人間を抱えているのだ。死なせてはいけないと気づいた」

「慈愛に溢れるお心でございます」

「そうだ。いいものがある」

シコーは天幕に戻り、革袋から本を取り出した。表紙が染みで黒くなり、全体が膨らんでしまった。

「どうされるおつもりです」

「やろうと思ってな。あの医者に」

「よろしいのですか。ずっと大切にしてこられたのに。どうしてもというなら、この宝石を」

ナディラが指輪と耳飾りを外そうとした。

「いや、いいのだ。これからまだ金がいる。宝石や金貨はその時までとっておかなければならない。この本は金にはならないが、それ以上の価値はある」

聞こえたのではないかと気にしながら外に出ると、ベルニエは地面に腰を下ろして遠くを眺めていた。医者というより、旅行者だ。

「そこから何が見える」

シコーを見て立ち上がろうとしたのでそれを制して尋ねた。

「アフマダーバードの城壁でございます」

「そんなものがおもしろいのか」

「城壁の内と外にどのような違いがあるのだろうかと考えておりました」

「何かわかったか」

「守る側と攻める側。拒む側と拒まれる側。それ以上はわかりません」

「では、これをやろう。この世でありながらこの世以上であり、この世以上でありながらこの世そのものでもある。その知恵が書かれている」

「何の本です？」

「ウパニシャッドだ。わたしがサンスクリット語から翻訳させた。ペルシャ語の訳本はほかにないはずだ」

ベルニエは恭しく受け取り、頁をめくっている。読めなくても興味はあるらしい。けれどもすぐに閉じて受け取った時と同じ姿勢でこちらに差し出した。

「お気持ちだけで十分でございます。このように貴重なものは気まぐれな旅行者には荷が重すぎます」

「それほど重くはないぞ」

「そのような意味では」

「わかっている。だが、ほかにないのだ。渡せるもの、与えられるものがな。ベルニエと言ったか。そなたはまだ若い。これから諸国を巡り、多くのことを見ればいい。そして故国に帰り、仕事に生かせばよい。しかしわたしは老いた。もう何もない」

「皇子ともあろうお方がそのようなことを」

「いや、終わったのだ。いいか。最後だと思って聞いてくれ。わたしの人生とは何であったか。この本を作ることだったのだ。それに気づいた。だからこれを託す。写本はイタリアの商人に渡してあるが、無事に西の国々に運ばれたかわからない」

「フランスに届けたいのであればスーラトにお出かけください。あそこには異国の商人がたくさんおります」

「だめだ。オーラングゼーブの手に落ちている」

ベルニエは差し出した手を引っ込め、膝の上に本を置いた。首を振り、溜息をついて考えている。この国に王族から下賜《かし》されたものを拒む者はいない。やはり異国の人間を理解するのは難しい。いや、迷っているのは、この男が異国の人間だからではない。まさにベルニエという男だからだ。わからないのは自分についても同じだった。翻訳は楽しみのためであり、西国に伝えるためではなかった。それをどうして託す気になったのだろう。ただの老いだろうか。敗北が続き、我が身の最期を意識し始めたのではないか。

ベルニエは立ち上がり、再び申しわけなさそうに本を差し出した。

「シコーさま。やはりお持ちになるべきです。これがご自身の人生であったのならなおのことです。わたしはこれからわたしの人生を見つけなければなりません。出会えたことに感謝します。神のご加護を」

ベルニエはそう言い残して立ち去った。

少し涼しくなり、衣の前を合わせた。天幕に戻ろうとした時、使者が待ちくたびれたように口を開いた。

「お伝えしなければなりません」

「疲れた。あすにしてくれ」

「間に合いません」
「なぜだ」
「あすの正午までにここを立ち去れとのことでございます。でなければ攻撃すると」
「誰がそのような」
「アフマダーバード城の司令官でございます」

進まなければならない。カッチ湿原を抜け、モヘンジョダーロを過ぎ、さらに北西を目指した。アフガニスタンのカンダハール。そこに古い支援者がいたことを思い出した。名はマリク・ジワーン。部族の首領である。ペルシャに攻められた時、ムガル帝国が助けた恩がある。ほかに頼れる者はいない。馬と駱駝は減り、荷は奪われ、人数も少なくなった。病死や転落死に加え、脱落した者が多かった。脱落してどこへ行くのか。あえて訊いたことはない。

登りに入った。山道である。岩場が続き、道がわからなくなる。とうに樹木は絶え、小高い尾根と谷ばかりで、進んでいるのか迷っているのか判然としない。精鋭を募って探索に出た。一行は残し、水を与えた。

遠くに人影を見つけた。マスケット銃を構え、攻撃できる態勢をとる。

人影はみるみる増え、気がつけば囲まれていた。アフガン兵だった。何か叫んでいるが、言葉がわからない。

「ここから先は我らの領土。お引き取り願おう」

何度目かで意味が通じた。ペルシャ語だ。

「ムガルのダーラー・シコーだ。戦いに来たのではない。道案内を願いたい」

「どこまで行く」

「カンダハールだ。そこで会いたい男がいる」

「男の名は」

「マリク・ジワーン」

兵たちの顔が変わった。シコーの名を知らなくても首領の名は知っている。それを呼び捨てにするとは。着ている服は汚れているが、鮮やかな宝石が縫い込まれている。身分のある一行だと気づいたらしい。

「その前にそのほうたちの陣営を調べさせてもらう」

兵隊長らしい鬚面の男が銃口を下げて近づいてきた。こちらも銃を下ろしたが、周囲の兵は構えたままだ。戦ったところで勝ち目はない。背を向けて来たほうに歩き出し、後ろにアフガン兵を従えた。

「大丈夫でございましょうか」

「堂々としていろ。びくびくするとかえって危ない」

一行の近くまで下った時、残っていた侍女が駆けてきた。

「奥さまが」

「どうしたのだ」

「たった今、お亡くなりに」

　山の風は冷たかった。谷底から吹き上がる音が不気味に谺《こだま》し、頭の中で響き続ける。遠い峰を一羽の鳥が翼を広げて飛んでいる。

「シコーさま」

「わかっている。覚悟はしていた」

　一行の中に分け入ると、座った駱駝の腹の脇で妻が仰向けに横たわっていた。風がチャドルを吹き払い、髪と睫毛《まつげ》が震えている。陽射しを避けるための黒い布に包まれ、風ではだけた胸元から淡い花柄の上着がのぞいている。

　ひざまずき、頬に手を当てた。まだ温もりが残っていた。この肌の奥で、この頭の中で、最期の最期に何を考えたのだろう。息子のスレイマンか。あるいは苦難の逃避行を強いた自分への恨みだろうか。痩せ細っていた。食べなくなってだいぶ経っていた。しかしだからといって。

「遺体はラホールに送る。頼んだぞ」

　信頼できる兵たちに駱駝と金を渡し、来た道を引き返すように命じた。ラホールにはナディラの近親者がいる。

　アフガン兵たちは突然のことに困惑していたが、事態が事態なので遠巻きにして黙っている。

「シコーさま。ご一緒にラホールまでお越しください。ここでお別れになってはあまりに奥さまが不憫《ふびん》でございます」

侍女の訴えはもっともだった。ラホールまで同行し、埋葬を見届けられたらどれほど幸せだろう。だが、行けば捕まる。ちょうど一年前にラホールから逃げてきたのだ。

「わたしには務めがある。ここまで付き従ってくれた者たちを安全な所まで届けなければならない」

「では、せめてもう一度、奥さまにお手を」

言われて近づき、抱き上げた。力のない身体がいともたやすくもたれてくる。抱いたまま、右へ左へと歩き回り、頰を寄せ、口を寄せた。どうして死んだのだ。カンダハールに入れば温かい褥《しとね》で眠ることができたのに。顔をうずめ、匂いを嗅いだ。微かな薔薇の香りがした。そう言えば枕に花びらを入れるのが好きだった。

銃声が響いた。アフガン兵が鳥を狙ったらしい。乾いた音が谷間に響き、遠い峰々を越えていく。命中しなかったのか、ほかの兵も撃とうとして止められている。

ナディラよ。これが二人で見る最後の景色だ。涸れた土地。赤茶けた谷。押し寄せるように続く乾いた山々。花はなく、緑もなく、清らかに湧き出る泉もない。荒涼と死に絶えたようなこの土地に連れてきた自分を許してほしい。しかしよく見てくれ。頭上に広がる空の青さを。深く、限りなく深く、咽《むせ》びたくなるほど澄んでいる。お別れだ。よく付いてきてくれた。感謝している。

再び銃声。今度は命中したらしく、歓声が上がった。続いて射止めた鳥を誰が拾いに行くかで言い合いになった。ナディラは笑っているようだった。聞こえなくてよかった。

その日の夕刻、峠に着いた。ボーラーン峠というらしい。出迎えが来ていた。別の部隊だ。

「お待ち申した。シコー殿」

「お前は？」

「我が名はマリク・ジワーン」

驚いた。まさか本人が来ようとは。考えてみれば、直接会ったことはない。

「世話になるぞ。皆疲れていてな」

「その前に武装を解かれよ」

「何だと」

「手向かっても無駄であろう。その人数では勝ち目はない」

シコーは振り返り、武器を捨てるよう静かに告げた。

「ここからはこれをお付けくだされ」

差し出されたのは縄だった。

「どういうことだ」

「お逃げになられてはこちらの身が危ない」

ジワーンが手を挙げると、配下の兵が駆け寄り、手を縛られた。止めようとした味方の兵もすかさず取り押さえられる。

「デリーまでお連れいたす。そこでゆっくりと休まれよ」

「オーラングゼーブだな。指令が来ていたのか」

「行くぞ」

ジワーンは答えずに号令をかけ、シコーだけ来た道を戻された。

「シコーさま」

付き従ってきた者たちの声がする。

「シコーさま」

「騒ぐな」

誰かが斬られ、悲鳴が上がった。

「あんたはこっちだ」

兵に小突かれ、坂を下るよう背中を押される。

「あの者たちはどうなるのだ」

「売り飛ばされるか、奴隷になるか。それよりあんたの心配をしたほうがいい」


小雨が降り始めた。八月のデリーでは珍しくない。アジュメール門は濡れて石の模様が浮き上がり、左右の柱に彫刻されたヒンドゥーの神々は削り取られた顔の痛みに耐えるように身体をよじらせている。来てしまった。かつての都。いや、今もそうだ。が、囚人の身に都とは呼びづらい。あれから一年と数カ月。宮殿の主は替わり、屋敷の住人も替わった。右手にジャーマー・マスジッドの尖塔が見える。そこで軍務大臣に命令を出し、拒まれた。その向こうにデリー城。ムガル帝国が崩壊したわけではなく、後継争いに負けただけだ。しかしこの景色の冷たさは何だろう。

門をくぐるかと思えば、いったん北に向かう。ラホール門から入り、城の正面へと続くチャンドニー・チョークの大通りを進むらしい。見せしめのためだ。シコーが捕まったことを人々に伝え、オーラングゼーブの帝位が揺るがないことを印象づけたいのだ。

馬から驢馬に替えられた。沓は脱がされ、新しい縄で縛り直される。驢馬の背中に鞍はなく、硬い背骨と体温が直に伝わってくる。

ラホール門には多くの兵が待機していた。それぞれの部隊には見知った顔もいた。銀飾りの付いた派手な兜をかぶった兵。槍を防ぐ胸当てを付けた兵。戦でもないのに大げさだと思ったが、大通りを行進する機会は滅多にない。しかもかつての皇子を罪人として引き回すのだ。彼らにとっては権威を示す晴れ舞台なのだろう。

小雨は霧雨となり、周囲が白く濁ってくる。驢馬の背は低く、馬上の兵に見下ろされる。忍び笑いと高笑い。他人の転落ほど楽しいものはない。身分の高い人間であればなおさらだ。落差の大きさが喜びを倍加させる。

口論が始まった。罪人を隊列のどこに入れるかでもめている。よく見えるように先頭がいいと言う者。主役は勝利した我々であって罪人は最後尾でいいと言う者。つまらぬ主導権争いで時が過ぎ、身体はますます冷えていく。

結局、中ほどがいいということになり、隊列が動き出した。喇叭も太鼓も響かない静かな行進である。

前を行く馬の尻ばかり目に入る。アラビア産の美しい馬だ。かつては馬の種類を細かく分け、位や用途に応じて使い分けていた。運搬用、農耕用、戦闘用、貴族の狩猟用。前の兵はそれほどの身分ではないが、馬だけはどこからか調達できるのだろう。

門を抜け、いよいよ通りに出た。大きな商店や役所、キャラバンサライが立ち並び、向こうに城が霞んでいる。地面が近い。これほど低い位置からこの通りを眺めるのは初めてだ。けれども人の姿はほとんどなかった。雨のせいだろう。沿道には人々が押し寄せ、野次を浴びせられると思っていたが、捕らえられた皇子にもはや関心はないらしい。

しばらく進んだ所だった。警備兵の隙を突いて頭巾をかぶった老齢の男が近づいてきた。

「神のご加護を」

男は思い詰めた顔で言うと、すぐに駆け寄った兵に引きずられていった。突然の言葉に動揺した。どこかで見た。そうだ。学者の一人だ。ウパニシャッドの翻訳を手伝ってくれた。

「あなたにも神のご加護を」

振り返って叫んだが、学者はすでに泥の道に倒され、殴られていた。

おかしい。何かが違う。街から人が消えてしまったようではないか。いるのは兵ばかりで物々しい。いや、建物の窓やバルコニーの陰には人の姿が見える。あの家でも、この屋敷でも、大勢の人々が隠れるようにして覗いている。雨のせいでもなければ関心を失ったのでもなかった。沿道に出ることを禁じられていたのだ。その証拠に窓辺の人たちは誰もが胸に手を当てて同情の気持ちを伝えようとしている。

「シコーさま」

誰かわからないが、縛られた手首を挙げて応えた。見上げると、顔がしっとり濡れてくる。嬉しかった。嫌われていたわけではなかった。彼らはほとんどヒンドゥー教徒だ。信仰が異なり、身分が違っても、自分を支持してくれていたのだと初めて気づく。「智慧の書」はとうにない。残った金貨や宝石とともにアフガン兵に持ち去られてしまった。異なる宗教を見つめ、共有しようとした姿勢を人々は理解してくれていたのだ。

音楽が聞こえた。太鼓を鳴らし、笛を吹き、手足に鈴をつけて踊っている。あの芸人たちだ。まさか来てくれるとは。兵たちは顔を顰《しか》めるだけで近づこうとしない。ムスリムの兵にとってもヒンドゥーの卑賤の者は見下す対象なのだろう。それをいいことに芸人たちはますます踊り、打ち鳴らし、近寄るまねをする兵には蛇や蠍《さそり》を見せてからかっている。

手を掲げた。向こうも手を振った。音楽が高まり、敗北の惨めさを慰めてくれる。

もういい。牢獄など恐れない。少なくとも今この瞬間は「智慧の書」が実現されている。

城に着いた時には服は濡れて身体に張り付き、伸びた髪と鬚からはいくつも水が滴《したた》り落ちた。下りるよう命じられても、両手を縛られているのでうまく動けない。驢馬の首に上半身を預けて片足を突き、もう片方の足を開いて引き寄せ、何とか立つ。

「沓を履かせてくれ」

兵は薄ら笑いを浮かべるだけで何もしようとしない。

「裸足では歩けないだろう」

「北の裏手に小屋がある。そこまでの辛抱だ」

「誰の指示だ。誰が命令している」

「いいから歩け。すぐに判決が出る」

「判決だと？」

「皇帝と聖職者の方々が裁判を開くのだ」

おかしくなった。判決など初めからわかっているではないか。

丸太で作った木戸が開いた。家畜小屋だ。肩の高さまで土壁があり、その上は大きく空いて屋根が迫り出している。

「呼びに来る。それまでおとなしくしていろ」

縄は解かれたが、突き飛ばされたので前のめりに倒れ込んだ。鼻を打ち、激痛が走る。痛みから逃れるように横向きになると、今度は糞尿の臭いが鼻を突いた。強い臭気は脳天を刺し、飢えた腹の中で暴れ回る。吐きそうだ。驢馬か駱駝でもいたのだろう。藁が散らかり、壁にはいくつも染みが残っている。

初めて家畜の気持ちを理解する。役目を終えた驢馬。労働を終えた駱駝。身体の節々が軋み、肩も足も強張っている。

呼ばれたのは早かった。眠っていたので足音に気づかなかった。再び外を歩かされる。すぐに歩き慣れた通路に出る。中庭から謁見の間、宮殿の広間へと通じる小径だ。バナナや杏の木が植えられ、濃い緑が揺れている。裸足には磨かれた床の石が冷たく、沓で歩いた日々を思い出す。広間の入り口にはムガルの旗が掲げられ、コーランが彫り込まれた高い天井が訪れる者を威圧している。

銀の刺繍が入った幕が開けられ、目を瞠った。正面の玉座にいたのはまさにオーラングゼーブであった。色とりどりの宝石で飾られたターバンを巻き、鬚を伸ばし、耳にはダイヤの飾りを付けている。着物は深い紅地で肩から胸に金の花模様があり、首からは二重三重にラピスラズリの飾りが下がっていた。こちらを見ているようで見ていない。視線は宙に注がれ、威厳と高貴さを誇示している。右手にはイスラムの法学者たちが並び、左手には軍務大臣や財務、商工の大臣、官吏たち。そして妹のローシャン。

「では宣告を」

誰の声だろう。右手から聞こえた。

「罪人ダーラー・シコーはその生涯において偶像を崇拝し、異教徒と交わり、祈りを怠り、断食をせず、食べてはいけない肉を食い、イエスを祀り、モーセさえ祀り、先帝ジャハーンに取り入り、私腹を肥やし、財貨を隠し、象を虐《しいた》げ、……」

何を言っているのかわからなかった。

最大限の侮蔑を投げ、咎《とが》を披露し、心ゆくまで辱めたいらしい。何も感じなかった。ナデイラを亡くして以来、この世の一切は遠のいた。

オーラングゼーブはまだ目を合わせない。ローシャンとは一瞬、目が合ったが、向こうが慌てて逸らした。

「終わったぞ。出て行くのだ」

いつまでも突っ立っていたので兵に耳元でささやかれた。結局、何を宣告されたのか聞き漏らした。

幕をくぐった時、兵に訊けば「死刑」という。そう言えばそう言っていたような気がする。

小屋に戻り、腰を下ろす。

神とは何か。聖なるものとは何なのか。退屈な法廷から戻り、忽然《こつぜん》と根源的な問いに直面する。思考は冴え、言葉が際立ち、次から次へと疾走する。獣の臭気の中で、死刑宣告の後で、なおも言葉が跳躍する。自ら聖なるものとなり、この世を離脱し、この世に還《かえ》り、この世のただ中で聖化される。

「シコーさま」

いつかの奴隷、占星術師だった。手に剣を握っている。

「命令により、参上しました」

口を開きたくない。声を出せば俗に引き戻される。

「命令は実行いたします。しかし今すぐというのではありません。執行する前にしばしお話を」

黙っていた。放っておいても相手がしゃべる。

「何でもいいのです。お忘れでしょうか。わたくしが申し上げたことを。星を信じるなとローシャンさまにお伝えくださいとお願いしたことがあります。浅はかでした。ローシャンさまはもともと信じておられませんでした。星を語る男に関心があっただけでした。自慢しているのではございません。そのようなご婦人もいらっしゃるというだけでございます。いや、世のご婦人方はほとんどがそうしたものかもしれません」

奴隷は剣を藁屑の上に置き、あぐらをかいた。汚れた顔だが、端整だ。これなら世の女は誰でも夢中になるだろう。片腕がなくても弱点ではない。

「ひとつ質問がございます。噂で聞いたことがございます。シコーさまがヒンドゥー教の教典を翻訳されたと。戦いの前に完成され、肌身離さずお持ちになっていると」

どうして知っているのだ。抜け目のなさは相変わらずだ。

「その本は今も持っておいででしょうか。見あたりませんが」

奴隷の目は鋭かった。声を出してしまいそうだ。この世の一切は遠のいたのだ。関わってはならない。

「それともどこかで失ってしまわれたのでしょうか。落としたか、盗まれたか。おうかがいしたいのは、それでもその本を翻訳されたことに意味があったかどうかということでございます。おそらくこうお答えになるのでしょう。意味はあったと。心の中でつぶやいておられるのが聞こえるようでございます。けれどもわたくしの考えは違う。無駄だった。誰が何と言おうとその翻訳は無駄だった。無益であった」

「黙れ」

気づいた時は遅かった。占星術師の策にはまり、俗界に戻ってしまった。

「無駄ではないというなら、その理由をお示しいただきとうございます」

「お前のような男に語るべき言葉は持ち合わせていない。さっさと務めを果たせ。さあ、剣を拾うのだ」

奴隷は顔を強張らせた。口を開かせることに成功したが、すぐに殺せと言われるとは思っていなかったらしい。

「聞こえないのか。殺せと言っている。声を発すれば発するほど穢れていくようで耐えられない」

「もともと穢れた存在でございます。シコーさまだけではございません。このわたくしもでございます」

「ひとつ言ってやろう。わたしは言葉の力を信じている」

「どこかの盗賊がその本を焼いてしまってもでしょうか。夜の寒さをしのぐために焚き火にくべれば言葉は消えてしまいます」

「消えるのは記された文字だけだ」

「それは詭弁《きべん》というものです」

「違う。我が身の最期だからこそ本心から言うのだ。わたしは信頼している。わたしだけではない。実は誰もが信じようとしているのだ。ただ信じ続けることに耐えられないだけだ」

奴隷は剣を取って立ち上がった。卑しい笑みを浮かべ、こちらに一歩一歩近づいてくる。近づくにつれ、笑みは憤怒に変わり、目もつり上がっていく。

「黙るのだ。シコー。戯《ざ》れ言《ごと》はまっぴらだ。俺はお前のような人間が大嫌いだ。信頼などという大嘘を平然とつける男がな」

奴隷は剣で二度三度と空を切り、目の前で仁王立ちになった。憎悪が燃え、息が臭い。

「いいか。よく聞け。お前の人生は失敗だったのだ。つまらぬことに心を寄せ、この世をないがしろにし、遂には俺のような男に処刑されるのだからな。もう一度言おう。お前の人生は失敗だったのだ」

「どうでもいいことだ。早くしろ」

終章　憧れ

一

ベナレスはさらに牛が多かった。ヒンドゥーの聖地だけあって大事にされているのだろう。白も薄茶もいて道端の草やゴミを食べている。首の皮が垂れ下がり、リキシャーが通ってもオートリキシャーが警笛を鳴らしても、のったり気ままに歩いている。

川縁のガートに近づくにつれ、人が多くなった。粗末な布を身体に巻き、真鍮《しんちゅう》の壺を首から下げた巡礼の一行。死を待つ老人を荷車に乗せ、両手に花を抱えた親族らしき一団。褌《ふんどし》一枚に汚れた布袋をたすき掛けした行者。かと思うと、高級ブランドのボストンバッグを手にしたターバンにスーツ姿の黒鬚の男。それぞれが雑踏にもまれ、ぶつかるように行き交っている。母と来て以来だが、ほとんど記憶が重ならない。兄の荷物が残されていたのはどの安宿だっただろう。

土産物屋とチャーイ屋が並び、細い道を抜けると、日除けの傘や天幕の向こうに水が見えた。泥のような色だ。袖を引かれた。物乞いの子どもだ。同情をするときりがないので、軽く払い除《の》けて石段を下る。

広々とした光景だった。川幅はゆったりとし、向こう岸はよく見えない。テレビでおなじみのガンジス。ガイドブックや旅行パンフレットに必ず登場するガンジス。それでも実際に来ると、水量の豊かさに圧倒される。水面がたっぷりと盛り上がり、満々と溢れるように流れていく。澄んだ湖より力強く、凪《な》いだ海より慈愛がある。「滔々《とうとう》」という言葉はサンスクリット語から広まったのかもしれないと思えるほどだ。そこで沐浴する人々。その穢れを受け入れ、この世の彼方に運ぶ川。

さらに先では遺体を焼いていた。組んだ材木の上で灰になり、灰はガンジスに流される。生の終焉《しゅうえん》。この世からの退場。

流れた先はベンガル湾だ。そこから海流に乗ってマレー半島を過ぎ、日本を通り、北上してアリューシャン列島を渡ればアメリカ大陸にたどり着く。その頃には記憶は消えているだろう。新しい記憶が芽生え、降り注ぐ光に眼を細めているかもしれない。そしてパタゴニアを回り、大西洋に出ればヨーロッパにぶつかる。南はアフリカ大陸。喜望峰《きぼうほう》に向かわず、サハラを横切り、エチオピアに入れば人類の祖先が誕生する。

石段に腰を下ろし、ガンジスを眺める。世界を一回りした後なので疲れている。

金を稼ぎ、家族を養う人生。悪意を浴びながら義務を果たす人生。それは道に生きる牛の人生より上だろうか。考えることを知らず、あるいは考えることをやめてしまった牛の顔は自分の顔より愚鈍だろうか。

対岸近くを小舟が行く。観光客を乗せている。手を振っているので笑みを返す。遠いのでわからないだろう。それでも対話は成立する。聖地は誰にとっても聖地だからだ。

舟から人が落ちた。事故だ。立ち上がって騒いでいる。いや、笑っている。泳いでいる。日本人だった。

兄が戻っていた。

「隆《たかし》、ここはもういいだろう。次へ行け」

「まだ来たばかりだよ」

「ああいうやつらも集まるのだ。聖地を穢して喜んでいる」

「帰ってから自慢するんだ。泳いだことを」

「幼稚すぎる」

「そういう国だよ。しかもそれを競い合っている」

「だから俺はここまで来たのだ」

初めて聞いた。いや、前にも聞いた気がするが、ガンジスのほとりで聞くと、その本気さに身が引き締まる。

「俺は追い出されたのだと思っている。俗なものばかりもてはやし、聖なるものに背を向ける国から」

「来たのは自分の意志ではないと？」

「もちろんあの時は自分の意志で来たと思っていた。けれども今は違う。生きる場を奪われたのだ。多数派に。彼らは平和的に抑圧している。だから気づかない。それどころか自分たちは善良だと信じている」

「自立した人間を嫌うんだ」

「もういい。先を急ごう」

「次はどこ？」

「アヨーディヤーだ」

「アヨデ？」

「アヨーディヤー。少し西に戻った町だ」

「来る途中に寄ればよかった」

「俺はそこで死んだのだ。一九九二年の十二月に」

身震いした。やはり兄は死んでいた。本人の口から聞き、あらためて慄然《りつぜん》とする。兄が命を落とした町。アヨーディヤー。何があったのだろう。地図には載っているだろうが、気にも留めなかった。

兄の顔は白くなり、輪郭がわずかにぼやけていく。苦しそうだ。震えている。饒舌だったのが嘘のようだ。

「思い出さなくてもいい。行けばわかるよ」

一瞬、色が濃くなり、こちらを見た。冷たく、哀しい目だった。

少し息苦しい。自分が自分ではないようだ。

スピーカーから大音量が流れている。何を言っているのかわからない。ヒンドゥー語だから当たり前だ。街宣車らしい。鉢巻きをした男たちが手作りの弓を持ち、憤怒の形相で窓から身を乗り出して喚いている。続いて小型トラック。荷台にはやはり弓を持った男たち。その後からも似たような車が続々とやって来る。

チャーイ屋を見つけて入ると、店主らしき男が「危険だから早く帰れ」と言う。

「何か始まるんですか」

「知らんよ。中国のほうが安全だ」

「日本人です」

「ツーリストかね」

「その一種です」

インド訛《なま》りの英語だが、自分よりはるかにうまい。細面で肌が白く、理知的な感じだ。四角い小さなテーブルには格子柄の赤いビニールクロスが掛けられ、ところどころ煙草の焦げ痕がついている。

「あんたもモスクを見に来たのかね」

「モスク？」

「イスラムの寺院だ。有名だぞ。ムガル時代のものだからな」

「飲んだら行ってみます」

「やめておけ。今はデインジャラスだ」

店主はそう言って両手を小さく天に向け、「インシャ・アッラー」とつぶやいた。イスラム教徒だった。

「礼拝の場所は一番安全なはずでしょう」

「もちろんそう願っている。だが、それを憎む者たちがいる」

「誰です」

「ヒンドゥー教徒だ」

イメージと違う。ヒンドゥー教徒は平和的で、過激なのはイスラム教徒ではないか。テレビや新聞ではたいていそうだ。

「あの人たちがどうしてここのモスクを憎むのです」

「ラーマ生誕の地だからだ」

「ラーマ？」

「彼らの神だ。弓を持って戦うらしい」

そう言えばトラックの男たちは弓を抱えていた。

「われわれから見れば愚かな偶像信仰だが、彼らはイスラムのムガル王朝がヒンドゥーの寺を壊し、そこにモスクを建てたと信じている」

「でも何百年も前のことでしょう。それを今になって」

「気をつけろ。外で言ったら殺されるぞ」

恐くなった。チャーイは飲んでしまった。兄はまたどこかへ行ってしまった。いてくれないと心細い。

「仏教徒だからといって油断しないほうがいい。もう避けられないんだ」

どういう意味か考えていると、奥から男の子が現れ、立っていた店主の足に抱きついた。三歳くらいだろうか。目がぱっちりしていて父親に甘えながらこちらを観察している。

「お名前は？」

「言ってごらん。ほら、いつもみたいに」

父親に言われて声には出すが、はにかみながら言うので聞き取れない。

「もう一度」

「ムハメド」

「すごい。預言者と同じですね」

店主はまた祈りの言葉を唱え、嬉しそうに子どもを抱き上げた。

お金を払って出ようとすると、いらないという。ゲストをもてなすのはムスリムの務めだと言った。

「でもここはお店でしょう」

「いつもはな」

手を差しのべ、握手をした。乾いた手だった。親指の回りがごつごつと太い。

礼を言って店を出ると、興奮した集団が増えていた。中には鮮やかなそろいの黄色い布で鉢巻きをしている連中もいる。褐色の肌が汗に光り、迫力がある。

通りから路地に入り、なだらかな坂を上ると、突然、丸い屋根が見えた。モスクだ。屋根は三つ見える。ここは裏側らしい。

正面に移動しようとするが、人が多すぎる。この辺りにいるのはほとんど普通の人たちだ。学生のような若者、腹が出たワイシャツ姿の男。だが、女性の姿はない。

拍手が起こった。誰かが演壇に立ったらしい。強い口調で何か語っている。意味はわからないが、アジテーションであることは理解できる。背伸びをすると、演説しているのは眼鏡をかけたインテリふうの小男だった。声の調子と風貌が合っていない。華奢《きゃしゃ》な体型だが、髪を掻き上げ、話すにつれて腕に力が入ってくる。取り憑かれているようだ。それでも聴衆たちは肯いている。寒気がした。狂信者の集団が気勢を上げているのではない。一見普通の人たちがアジ演説に納得している。

どよめきが起こった。聴衆の視線は左手にそびえるモスクに移っている。丸い屋根の上で何かが動いている。人だ。モスクの丸屋根に上り、旗を振っている。

と、演壇近くの聴衆がモスク目指して駆けだした。続いて周囲の群衆も走りだし、敷地にたどり着くと、金網をよじ登り、次々と乱入していく。

「ムスリムはアラビアに帰れ」

聞き間違いではなかった。すぐ近くにいた男たちが吐き捨てるように口にした。

遠くで土煙が上がっていた。ようやく気づいた。モスクを壊しているのだ。堅牢な石造りに挑むなど正気とは思えない。それでもやろうとしている。ハンマーや棍棒を持ち、石の壁をひとつひとつ砕いていく。復讐だ。真偽はどうあれ、寺院を破壊された恨みがヒンドゥー教徒を破壊へと駆り立てている。

凄《すさ》まじい。狂っている。しかし狂えるほどの信仰を笑うことはできない。道端の牛でいるか、熱狂の徒であるか。インドにはこの両極が共存している。

正面に回ろうと歩いたところで腕をつかまれた。口髭を伸ばした大柄な男だ。言っていることはわからなかったが、パスポートを出せというところは聞き取れた。警察官には見えない。軍人でもない。うかつに出せば奪われてしまう。躊躇《ちゅうちょ》していると、次々に男たちに囲まれ、逃げ道をふさがれた。

「どこから来た」

「日本です」

「日本人がこんな所で何をしているのだ」

「人を探しています」

「誰を」

「兄です。十年以上も前に死んだ兄です」

男たちは互いに顔を見合わせた。知るはずがない。日本からふらりと来た旅行者はたくさんいる。かまうものか。混乱させてやろう。その隙に逃げてやる。

「十年以上前ということはナインティーン・エイティだな」

こちらが混乱し、頭の中で翻訳し直す。ナインティーン・エイティ。一九八〇年。違う。それでは二十年前になってしまう。

「十年前はナインティーン・ナイティです」

「ナインティーン・ナイティ？」

「イエス。正確にはナインティーン・ナイティトゥー」

男たちは笑いだした。時間がずれているからだ。これ以上関わらないほうがいいと思ったのか急に警戒心を解き、「オーケー」と言って離れていく。助かった。とにかくこの場を立ち去ろう。

モスクは土煙に霞み、なされるがままだ。群衆は千人以上。痛々しい。蟻《あり》に攻められる巨人のようだ。

人が多く、動けるのはやはり正面の方角しかない。

ここでも集会をやっていた。演壇にいるのは白鬚を胸元まで伸ばした老人だった。横には山吹《やまぶき》色の僧衣に身を包んだバラモン僧たち。破壊が続いているというのに落ち着いている。その先には天幕の小屋がいくつも並び、食事が振る舞われていた。モスクを破壊する連中への支援らしい。休憩に戻った男たちが地面にしゃがんでカレーを食べたり、寝転んだりしている。背後に大きな組織があるのは明らかだった。

夜になった。兄はまだ来ない。勝手に動くわけにはいかない。

歓声が上がった。目を凝らすと、モスクの丸屋根のひとつが消えていた。残る二つも半分ほど崩れている。こんなことがあるのだろうか。

目まいを覚え、支援の天幕に潜り込んで横になる。知らない言葉が飛び交い、笑い声も響く。帽子を深くかぶり、顔を隠す。背中がごつごつする。それでも道端よりいい。牛になるにはまだまだだ。気がついた。歴史の教科書。バスチーユの攻撃。フランス革命のところで必ず出てくる。それとよく似ていた。群衆が押しかければ、できないことは何もない。

人の声と行き交う足音。騒動の中で眠りに落ち、夢うつつの中で考える。はじめにウパニシャッド。サンスクリット語で書かれたヒンドゥー教の根本聖典。数ある聖典の中でも哲学的な思索が多く、古代インドの思想書と言われている。それをダーラー・シコーというムガル帝国の皇子がペルシャ語に翻訳させた。シコーは弟との政争に敗れ、処刑されてしまうが、ペルシャ語訳はヨーロッパに伝えられ、フランス人の学者がラテン語に翻訳した。たしかデュペロンという名前だった。兄が話してくれた。翻訳書のタイトルは「ウプネカット」。これをドイツの若き哲学者ショーペンハウアーが読んで感動し、代表作「意志と表象としての世界」を完成させる。さらにその著作は日本に入って翻訳され、研究者ばかりか青年層の一部で今なお読み継がれている。

不思議な感覚だった。固まっていた自分が溶け出し、ゆるやかに流れていくようだった。自分は何かに導かれてここまで来たのかもしれない。自分が抱えている問題はこれまで人間が抱えてきた問題そのものなのかもしれない。自分は過去からの営みの中にいて、その営みは自分の中で生きている。壮大な知恵の伝播。

騒ぎで目が覚める。モスクは完全に消えていた。ムガル時代から四百年以上も生き続けた強固な信仰の要塞がわずか一晩で破壊された。

ラジオが割れた声で伝えていた。

「hundreds of thousands of supporters have demolished the Babri Masjid……」

身体を起こすと、チャーイを振る舞われた。

「俺たちの勝利だ。あそこにヒンドゥーの寺を再建する」

黙ったまま甘い紅茶を流し込む。どうすればいいのだろう。ここにいてはいけない。加害者の陣営だ。

立ち上がろうとすると、節々が痛んだ。土の上で眠ったせいだ。

「どこへ行くんだ。もう少し見ていけ」

「人を探している」

「誰だ」

「死んだ兄」

ヒンドゥー教徒は笑みを浮かべて諭すように説明した。

「悲しいのはよくわかる。けれども死んだ人間は戻らない。それを受け入れなければならない」

「ここで会う約束だった。こんな騒ぎがなければ会えたはずだ」

「騒ぎだって？」

「騒ぎじゃなければ暴動だ」

「もう一度言ってみろ」

瞬く間に男たちに取り囲まれた。

「だってそうじゃないか。どう考えたってクレイジーだ」

何を言われたのかわからなかった。次から次へ激しい言葉を浴びせられ、小突かれ、突き飛ばされ、追い立てられた。殴られなかっただけよしとしよう。

惨めな思いで歩き続け、駅を探した。けれども道に迷ってわからない。

商店街は閉まっている。興奮した男たちが拳を突き上げて歩いている。軍や警察は見当たらない。暴動を容認しているのかもしれない。今この瞬間はムスリムがマイノリティーだからだ。

きのうのチャーイ屋を見つけ、道を尋ねようと近づくと、男たちが飛び出してきた。棍棒を持っている。興奮が続いていて怒鳴りながら地面まで殴り、雄叫《おたけ》びを上げて走っていった。

店のガラスは割られ、開け放たれた扉は斜めに傾いている。隣の家もやられていた。その隣もまた隣も同じように襲われ、入り口や壁が壊されていた。

恐る恐る中に入る。誰もいない。逃げたのだろう。テーブルが倒され、椅子は投げられ、食器はすべて床に叩きつけられていた。散乱した破片で足の踏み場もない。

テーブルを立てて椅子を引き寄せた。残りのテーブルも起こし、椅子をセットする。動くと、ぴしりと靴底が鳴った。破片の音だ。もう一歩動くと、ぴしぴしっと続けて鳴った。

カスラヴィー。突然思い浮かんだ。誰かの名前だ。知り合いではないし、会ったこともない。けれどもこの場に深く関わっているような気がする。

落ちていた食器の破片を拾い集める。見覚えがあった。この前飲んだカップ。花びらが描かれている。薔薇だ。匂い立つような希望の花。破片を組み合わせると形が戻った。つまみ部分は見つからないが、形が蘇れば記憶も蘇る気がした。甘いチャーイ。握手した時のごつごつとした親指の回り。

そうだ。カスラヴィーはアリの兄だ。イランで死んだという。どうして思い出したのだろう。ここはインドだ。

カーテンが見えた。嫌な予感がした。テーブルクロスと同じ赤い格子柄。その奥にも部屋がある。

開けた瞬間、息をのんだ。親子がこちらを向いて倒れていた。二人とも血まみれで、壁にもたれてぐったりしている。父親は子どもの肩を抱き、目は開いているが、動かない。子どもは父親の隣で小さな頭を外側に傾け、産毛のような髪は血に濡れて固まっていた。突然、顔に激痛が走った。鼻と頬が殴られ、さらに何度も蹴られた気がした。首にも衝撃を感じ、口の中から生温かいものが滲み出る。吐き出すと鮮血だった。自分が襲われたわけではないというのにどうしたというのだろう。

　外に出た。悲鳴が聞こえた。暴漢が誰かを襲っていた。ずっと向こうだというのに肩が痛み、腕が痺れ、息が詰まる。しかし立ち止まってはいけない。かえって狙われてしまう。

　何がどうなっているのかわからなかった。暴行の現場に出くわすと、全身が痛み、実際に血が滲む。誰かに襲われたわけではないのに責め苦には襲われる。その度に立ち止まりそうになりながら、よろよろと壁伝いに歩き続ける。休もう。安宿でいいから身体を横たえられる場所を。

「俺が殺してやる」

「ボディガードがやったらその場で捕まる」

「あいつはムスリムのくせにキリスト教徒を保護してるんだ」

「しかしパンジャブの州知事だぞ」

「保護したことにかわりはない」

　声だけ響く。今度はキリスト教徒と言った。混乱してますますわからなくなる。その瞬間、拳銃の発射音が続けて響いた。車のドアの脇に人が倒れている。騒いでいる。嘆いている。ここではない。今でもない。それがどうして見えるのだろう。

　周囲の音が消えてしまった。きーんという高い音だけが頭の中で谺している。衝撃で聴覚を失ったらしい。目に映るのは空と暴徒と死者と牛。牛はこちらを見ている。惨劇に気づいているのか、いないのか。やがて音のない世界の向こうから何かが近づいてくる。

「『個体化の原理』がとり払われてしまった人は、もはや自分と他人を区別することはなく、他の個体の苦しみに彼自身の苦しみと同じくらいの関心を持つ。そしてただ慈悲深いばかりではなく、自分を犠牲にして他の人が救われるなら、自分自身の生命をすすんで犠牲にする心構えさえある」

ショーペンハウアーだ。嫌だ。逃げたい。そこまでは望んでいない。

ホテルの看板があった。「ムンバイ」と書かれていた。

中は広く、庭が続いていた。まるでひとつの町のようだ。薔薇が咲き、噴水と泉があった。樹木が茂り、さやさやと葉が揺れている。ここでも人間狩りが行われていた。多数派が少数派を襲い、暴力で異端者の息の根を止めようとしている。いや、よく見ると、襲われているのはサリーを着た女や子どもたちだった。ここではイスラム教徒がヒンドゥー教徒に報復していた。

廊下に入り、ゆっくりと階段を上る。高い所なら見晴らしがいい。上るにつれてビリィを吸いたくなる。煙草は吸わないのにその気持ちが強くなる。

風が吹き、傷口がひやりとした。

これがインドだろうか。求めていた聖なる国だろうか。この世のことではないことを原因としたこの世の争い。こんな騒ぎに巻き込まれるためにインドに来たのだろうか。かつてここには知恵があった。それを求める人々が集まっていた。潰したのは誰だろう。

下では襲撃が続いていた。見る度に喉が咽せ、血がこぼれる。俺は巻き込まれて死ぬのだろう。騒乱の中で遺体は捨てられ、腐った頃にまとめてどこかに埋められる。それもいい。俗が支配する国を追われ、聖なる国にも裏切られたのだから居場所はない。しかし異臭は放ってやる。地の底から渾身《こんしん》の力を込めて己の臭いを放ってやる。骨になり、土に同化してもなお。

本を読んだ。理解できるものもできないものも手当たり次第に読み散らした。残っているのはひとつの知恵だ。聖なるものは俗なるものを超えなければならない。超えきれず、敗北しても執拗《しつよう》に挑み続けなければならない。人は聖なるものに触れて初めて満たされるからだ。

足元に小さな血だまりができていた。出血が止まらない。

立っていられなくなり、しゃがみ込む。

音を失ってもこの世を感じる。いや、音を失えばこそこの世ならざる気配に感応できる。

息を吸う。鉄臭い血の匂いの向こうに泉の香りがする。

厳粛な気持ちになり、痛みをこらえて正座する。石の冷たさが臑に伝わり、呼吸も冷たく整ってくる。

目を閉じる。揺れていた世界が落ち着いてくる。「智慧の書」。人が満ち足りるための感性の系譜。

二

川にいた。どこなのだろう。風は南風だ。生暖かい湿り気が肌を包み、頬に触れて吹き抜ける。花が咲いている。橙色と黄色と赤。それぞれが淡い草の茂みから顔を出し、楽しそうに揺れている。深く息を吸えば清浄な空気が肺に行きわたり、身体中の血液が蘇生《そせい》する。

つまりはそういうことだった。兄は一九九二年十二月、アヨーディヤーのモスク破壊事件に巻き込まれて死んだ。それを追体験し、兄になり、兄の意識とともに目を閉じた。悲しみより、死に際の力強さが嬉しかった。

「お前は本当に自分が滝川隆だと思っているのか」

訊かれた時は戸惑ったが、今ならこう言える。「少なくともそれだけではない」と。

観光客が歩いている。向かう先はタージ・マハルだ。ということはここはアーグラ。歩いているのは家族連れにカップル、学生たち、何かの集団。インド人が多いが、西洋人やアジア人、日本人の団体客もいる。これから見学する人も、終わって帰る人も、皆善良な顔をしている。シャー・ジャハーンが妻ムムターズのために建てた白亜の廟。端然とした姿は池に映り、川をさえぎり、空に映える。そしてその向こう岸に漆黒のタージ。黒とはいいながら石材の種類によって濃淡があり、光の加減で青くも見える。

川を渡り、辺りを見回す。

閑散としている。

白だけでも見どころが多いのでわざわざ来ないのだろう。方形の池と正面に黒いドーム。その左右に尖塔が立ち、奥の左右にも同じ尖塔。向こう岸には白のタージ。ヤムナー川の中洲を基点に互いに背を向けて建っている。完璧なシンメトリー。計算の見事さが息苦しいくらいだ。

「どうしてここにいらっしゃるの？」

女性の声だ。が、気配はない。

「お客さまがいらしたのは久しぶりだわ」

「どなたでしょうか。姿が見えません」

「おかしいわね。ここにいるのに」

目を凝らしてもやはり見えない。植え込みの陰に隠れているのかもしれないが、それにしては声が近い。

「人が多いのは苦手だわ」

「僕もです」

「あら嬉しい。だったら叱られないわね。抜け出してきたって言っても」

「抜け出すってどこからです」

「いつもの所。でも蓋がしてあるから気づかれないはずよ」

「蓋？」

「そう。閉じ込めておくための愚かな重し」

楽しそうだった。何のことかわからないが、抜け出せたのならとにかくよかった。

「こちらはちっとも人が来ませんね。人気がないんでしょうか」

「見ようとしない人には見えないのよ。黒ほど輝く色はほかにないのに。せっかくだから案内するわ」

声は先に進み、それに合わせて植え込みの枝が次々に揺れていく。

「あなた、アレクサンドリアに行ったことがおありかしら」

「エジプトのですか」

「ほかにどこがあるの。間怠《まだる》っこしいわね」

叱られたのでおろおろする。仕事柄、間違いがあるとクレームがくるので、相手の言ったことをすぐに確認する癖がついてしまった。

「ありません。いろいろ忙しくて」

「どうして忙しいの？」

「仕事がありますから」

「どうせたいしたお仕事じゃないんでしょう。さっさと片付けておしまいなさい」

「そうしたいんですが、なかなか」

「あなたって本当に間怠っこしいのね」

声はそこで消え、急に静かになった。黙られると不安になる。気を悪くしたのだろうか。間怠っこしいと二回も言われた。仕方ないではないか。相手の状況がわからなければ機敏に反応できっこない。

正面の基壇まで来ていた。見上げると、壁は背丈の十倍はある。黒大理石だろう。全面が光り、滑らかに磨かれている。よく見ると、天然の文様のほかに別の石を使って文字が刻まれている。図案化されたペルシャ語らしい。ということはコーランだ。黒曜石《こくようせき》か玄武岩《げんぶがん》か。同じ黒の中にあって質感の違いだけで文字を浮き立たせている。何と禁欲的な主張だろう。

階段を見つけ、上に出る。半円にえぐった巨大な正面。その壁面すべてに流れるような石の文様が配置され、幾筋にも表情が重なっている。黒一色でもこれだけの表現ができるのだ。

「入り口で感心していてどうするの。早くお入りなさい」

声がしたのでほっとする。それにしてもせっかちだ。

「そろそろ教えてください。あなたはいったい」

「ここからが見せ場なの。憧れが詰まっているから」

質問に答えずにどんどん先に行ってしまう。付いていくのが大変だ。

中は意外に明るかった。天井はいくつものドームで構成され、角に開けられた明かり取りから光が射し込んでいる。光はまっすぐ床を照らし、壁に反射し、あちこちに陰影を投げながら黒と黒を際立たせている。そしてはめ込まれた深紅の石。いくつあるのだろう。ここの部屋だけで数百はある。花のレリーフに、草の文様に、こぼれ落ちる滴に見立てて組み込まれている。黒の中では慎ましいが、ひとたび気がつくと、あちこちで輝きはじめる。

「ここは何の部屋なんですか。寝室ではなさそうだし、客間でもない」

「何のためでもないわ。部屋のための部屋」

「贅沢ですね」

「仕事って、家と関係がおありかしら」

「その通りです」

「でもまだまだね。部屋のための部屋がわからないようでは」

「すみません。勉強不足で」

恥ずかしくなった。実用的なことにしか関心がない無粋《ぶすい》な男と思われたのだろう。それにしても辛辣だ。初対面だというのに遠慮がない。いや、そういう生まれなのだ。気を配り、控えめである必要がない育ち。

明るみの中に一瞬、影ができて消えた。柔らかなドレスが翻ったようだった。

「憧れが詰まっているっておっしゃいましたよね」

「いつのお話？」

「待ってください。これでもひとつひとつ理解しようとしているんです。憧れって誰の憧れだったのです」

「みんなのよ。決まっているじゃないの」

「決まっている？」

「そうよ。そうでないとしたら気づいていないだけだわ。ここは憧れそのもの。憧れがこの建物を支えているのよ」

いい響きだった。柱でも土台でもなく、憧れによって支えられている建物。

「あなただって憧れくらいあるでしょう」

「それらしいものは」

「悪い癖ね。すぐ語尾をごまかそうとする。あるのか、ないのか、はっきりなさい」

「あります。僕みたいな人間にも」

「みたいなは余計よ。自分を蔑むのは正直ではないし、卑屈だわ」

「言い直します。僕にも、いえ、僕には憧れがあります」

「そうよ。そうおっしゃい。で、何かしら。あなたの憧れは」

困った。言葉にできない。あるのは確かだ。だから生きている。けれども正面から訊かれてすらすら説明できるものではない。

見回した。ドームの通路を抜けるとさらに広いドームに出た。左右から斜めに光が入り、天の高さを感じさせる。早く答えなければ。また間怠っこしいと言われてしまう。

「家族かもしれません」

「それが憧れ？」

「いえ、大切なものです。憧れを持ち続けるために」

「だったら何が憧れなの」

「遠いことです。そして強いこと」

再び沈黙が訪れた。また叱られるかもしれない。曖昧な言い方は正しく理解していないからだと。しかしそれでもいいと思った。ほかに言葉が浮かばない。それにしても黒いドームがどうして憧れなのだろう。建築狂ジャハーンの憧れだったというのはわかる。白以外で手に入る大理石は黒だけだったという事情もあるだろう。けれども黒という色はどれほど気品があっても憧れというには暗すぎる。

「星を見ましょう。ちょうどいい頃だわ」

ドームの中央に出た。ここは建物の中心で一番広い。天井は高く、中央の頂点に向かって石が組み上げられている。石の高さは均等だが、幅は上に行くほど少しずつ狭くなっている。光は消え、影が濃い。

「どうして黒の大理石が憧れなんですか。もちろん憧れはこの建物だってことは理解していますが」

「簡単なことよ。黒は夜の色だから」

「夜の色？　ということは、夜が憧れ？」

「鈍い人ね。夜が憧れのはずがないじゃないの。夜は憧れを育むのよ」

少しずつ星が見えてきた。あちこちで光っている。いや、建物の中にいるのに見えるはずがない。石かもしれない。瑪瑙《めのう》や水晶が埋められているのだ。

「わたしはいつも星空を眺めていたわ。辛い時も楽しい時も。そこがわたしの家だったから」

「よくわかりません」

「空が見える所に天幕を張ったの。どこで星を見ても、自分がその彼方とつながっている気がしてちっとも孤独ではなかったわ」

聞いたことがある。いや、何かで読んだ。ウパニシャッドだ。末端のアートマンと全体としてのブラフマン。

「『智慧の書』みたいですね」

「ご存じなの？」

「もちろんです。それに導かれてここまで来ました」

「だったら受け取って。そこにあるわ」

驚いて探すと、中央の石床の上にそれはひっそり置かれていた。本というより、丸い塊のようだ。上ばかり見ていたので気づかなかった。表紙はめくれて膨らんでいる。革らしい。しかもかなり古い。

近づくと、星明かりに照らされて本は青く浮かんで見えた。床は砂色で本の周囲だけ影になっている。

恐る恐る手を伸ばす。ごわごわしていた。染みもある。雨に濡れたのだろう。黒黴も広がり、元の色がわからないほどだ。

丸くなっていた表紙を伸ばすと、何かが記されていた。文字だ。手書きの。ヒンドゥー語ではない。形が違う。ペルシャ語かもしれない。基壇に刻まれた文字に似ている。

「何と書いてあるのです」

「ダーラー・シコー」

稲妻が光った。まさかそんなことが。

本を開き、一枚一枚めくってみる。繊細な筆遣いで横一列に丁寧に記されている。熟練した書き手が心血を注いだことが、文字を追うだけで伝わってくる。シコーの志に共鳴し、シコーの館で書き記されたひと文字ひと文字。細く跳ね、迷わずに伸び、あるいは太く曲がり、点を打つ。書き損じが許されない緊張と、困難な仕事をやり遂げる自らへの信頼が頁をめくるごとに溢れてくる。どこをどう彷徨ってきたのだろう。誰から誰の手に渡り、誰がどこで救い出したのだろうか。

「どうしてこれをお持ちなんです」

声がうわずっているのがわかる。けれども訊かずにはいられない。どこかで略奪され、消えてしまったはずだからだ。

「こんな奇跡が起こるはずがない。どうしてこんなものがここにあるんです」

「そんなに恐い顔をなさらないで。簡単なことだわ」

「だからどうしてです」

「息子の本だからよ」

聞き間違いではない。息子と言った。ということは、ここにいるのはムムターズ・マハル。ジャハーンの妻にしてシコーの母。何ということだろう。黒のタージに入り、そこでムガルの王妃に会おうとは。

「信じられません。お会いできただけでもすばらしいのに、まさかこんな貴重な本を。僕みたいな人間に」

「みたいなは余計だと言ったはずよ」

「すみません。口癖なんです。でも本当に夢みたいです。こんな宝物を」

「そう言っていただくと嬉しいわ。でも、今のあなたにはふさわしい」

「間怠っこしいのに？」

「そうよ。それだけ求めているってことだから」

「初めて誉めてくださった」

「手放しちゃだめよ」

「もちろんです」

「本じゃないわ。あなたの憧れよ」

星が出ていた。青く、黒い、群青の夜空に満天の星が輝いていた。空は闇に隠れ、星は闇の中から立ち現れる。光は光を求め、触れ合えばさらに白く燃える。尽きることのない光の乱舞。限りない天のざわめき。そうだ。この空はシコーが見上げた空だ。自分は今、そこに同化し、その神秘を浴びている。聖者《スーフィー》。俗を聖に転化する貧しき英雄。

「来てよかったです。こんな経験ができるとは思ってもいませんでした」

「わたしも。今夜はとくに綺麗。深い海の底みたいに」

「海ですか」

「そう。アレクサンドリアの海の底。書物が眠る知恵の宝庫」

澄んだ声だった。上品で落ち着いている。

「もうひとつだけ訊かせてください。あなたはどうして来てくれたのです。ムムターズ・マハル」

夜風が急に冷たくなった。

ヤムナー川のほとりに人影はなく、観光客はとうに帰っていた。白のタージが闇に浮かび、黒のタージは消えてしまった。それでも待っていた。返事を聞くまで動いてはいけないと思った。足元には橙色と黄色と赤。花は花弁をすぼめ、淡い茂みの中であすの朝に備えている。手元には革表紙の本。「これからは何だって起こりうる」。兄の言う通りだった。アヨーディヤーが地の底なら今見たのは天界の景色だった。その神秘に触れて浄められた。いや、目覚めたのだ。たくましい本質として。力強いアートマンとして。だったらすることがある。ここからは自分の力で。

小雨が降り始めた。デリーでは珍しくないという。アジュメール門は濡れ、石の模様が浮き上がっている。左右の柱に彫刻された神々の顔は無惨に削られ、痛みに身体をよじらせている。バザールも店じまいだ。女は売れ残った鶏を籠に入れ、子どもは驢馬の綱を解こうとして手間取っている。それを香辛料売りの男が見て笑っている。

来てしまった。本当にできるだろうか。宮殿にたどり着くことができても、どうやって潜り込めばいいのか。門は堅牢だし、衛兵もいる。しかし信じよう。何だって起こりうる。シコーに会ってこの書を手渡す。そうすれば彼の人生が無駄でなかったことを伝えられる。書のおかげで強くなれたこと、記された言葉以上に記すことを信じた魂に救われたことを伝えることができる。

急がなければならない。もたもたしていると処刑されてしまう。

歩いているうちにラホール門に出てしまった。が、方角は間違っていない。むしろ近づいている。すぐ前に伸びているのはチャンドニー・チョークの大通り。ということは、この先に宮殿があり、そのどこかにシコーが幽閉されている。

石の城壁が続き、門は高い。外には槍を持った衛兵が立ち、通行人を検《あらた》めている。とても無理だ。裏門もほかの入り口も同じように警固されているだろう。リュックの外から「智慧の書」に触れ、何とかしようと考える。

声が聞こえた。城内の塔からだ。アザーンだ。よく響く声が人々に礼拝の時間が来たことを知らせている。

心を落ち着かせるため、道端にひざまずいて目を閉じる。

足音がする。人が通っている。忙しいので誰もすぐには礼拝を始めない。続いて鈴の音。

山羊の群れらしい。動物にアザーンの響きは届かない。

目を開けると、門の中にいた。誰かが通してくれた。すかさず立ち上がって壁沿いを進む。広場だ。大きな天幕が張られ、中央には絨毯敷きの席がある。玉座らしい。金銀で飾られ、円柱形のクッションも見える。そこを女たちが掃除していた。

見つからないように走り抜け、水路脇の家畜小屋で立ち止まる。宮殿の入り口は反対側らしい。遠回りをしてしまった。向こうには丸い屋根と黒い森。雨はやんでいる。

「お忘れでしょうか。わたくしが申し上げたことを」

驚いて干し草の山に身を隠す。中に人がいる。

「浅はかでした。ローシャンさまはもともと信じておられませんでした。星を語る男に関心があっただけでした。自慢しているのではございません。そのようなご婦人もいらっしゃるというだけでございます」

聞き間違いではない。ローシャンと言った。たしかシコーの妹だ。話しているのは誰だろう。聞いているのは誰だろう。

「ひとつ質問がございます。噂で聞いたことがございます。シコーさまがヒンドゥー教の教典を翻訳されたと。戦いの前に完成され、肌身離さずお持ちになっていると」

今度はシコーと言った。しかも翻訳と。

窓がないので覗けない。屋根の庇と壁の間が空いているが、高くてとても登れない。耳を澄ましながら、土壁に沿って移動する。

「その本は今も持っておいでてでしょうか」

返事がない。そうだ。この本のことを言っている。代わりに叫んでやろう。ここに持っているると。そのためにやって来たのだ。しかし名乗り出るのはまだ早い。相手がシコーかどうか確かめなければならない。

木戸を見つけた。丸太を組んだ粗末なものだ。けれども錠がしてあるのであきらめ、土壁が肩の高さになっているところで恐る恐る顔を出す。

男の後ろ姿。座っている。上半身裸だ。体格はいいが、片腕がない。武器は持っていないらしい。その向こうにも一人いるはずだが、男が邪魔で見通せない。周囲には藁屑が散り、壁際に古い甕と煉瓦のような石が積んである。

本を握る。硬い革の表紙が体温で少し柔らかくなる。今すぐ飛び出してこの書を差し出すべきかもしれない。そうすればシコーかどうかわかるだろう。失敗は許されない。相手は三百年以上も前のムガルの男だ。

「おうかがいしたいのは、それでもその本を翻訳されたことに意味があったかどうかということでございます。おそらくこうお答えになるのでしょう。意味はあったと。心の中でつぶやいておられるのが聞こえるようでございます。けれどもわたくしの考えは違う。無駄だった。誰が何と言おうとその翻訳は無駄だった。無益であった」

「黙れ」

自分が叫んだのかと思った。だが、違った。見えなかったもう一人が身体を起こしてこちらの男を睨んでいる。見覚えがある。ペルシャの細密画だ。やつれているし、鬚も伸びている。しかしあの顔はダーラー・シコー。陽に灼け、埃と垢で汚れていても意志の強さはそのままだ。身体が熱くなった。ムムターズに会い、シコーにも会えるとは。

「さあ、剣を拾うのだ。聞こえないのか。殺せと言っている」

叫んだのはシコーだ。何ということを。急いではいけない。

飛び出そうとした時だった。足音がした。巡回の衛兵だ。一人ではない。話し声がする。慌てて身体を伏せ、息を止める。近づいてくるが、今から干し草の所までは戻れない。

「お声がかからねぇんだ」

「高望みってもんだ。ローシャンさまがお前みてぇなやつを」

「なら給金をあげてほしい」

「俺は警護番を免じてほしいぜ。今さら誰がオーラングゼーブさまを襲うんだ？」

ようやく遠ざかり、顔を出すと、裸の男が剣を手にシコーに迫っていた。剣は二度三度と空を切り、びゅっびゅっと冷たく鳴る。仁王立ちだ。上からシコーを見下ろしている。

「お前の人生は失敗だったのだ。つまらぬことに心を寄せ、この世をないがしろにし、遂には俺のような男に処刑されるのだからな。もう一度言おう。お前の人生は失敗だったのだ」

「どうでもいいことだ。早くしろ」

「待ってくれ」

突然飛び出したので二人がこちらを向いた。

「持ってきたんだ。『智慧の書』を。つまり失敗ではなかったんだ」

革の表紙を突き出すと、シコーが立ち上がろうとした。男が落ち着いてそれを止め、こちらに向かって言い放った。

「今さら何の意味があるんだ。死刑判決はくつがえせねぇぞ」

「判決なんかどうでもいい。この本が生き残っているってことが重要なんだ。まずはそれを認めてほしい。そしてその人は僕が連れて帰る」

「連れて帰るだと？　どこにだ」

「もっとまともな場所に」

「笑わせるな。そんなものがどこにある。どこもかしこも汚れたままだ」

「違う。少なくともこの本がある所は」

あらためて「智慧の書」を突き出すと、シコーは黙って目を細めた。見えないのだろうか。閉じ込められているので視力が衰えてしまったのだろうか。いや、笑っている。微笑んでいる。気がついてくれたのだ。よかった。務めをひとつ果たせた。けれども制止されたまま立ち上がろうとしない。その位置なら体当たりして剣を奪い取ることができるし、二人なら男を倒すこともできる。早く立ってほしい。そしてこの書を手にしてほしい。これはあなたの人生そのものなのだ。それを今一度、確かめてほしい。

「遅かったようだな。あいにくこいつにその気はないんだ」

「どうしてわかる」

「その書を見たからだ。それで満足しちまったんだ。それにひとりぼっちだ。今は死んだ女房のところに行くことばかり考えているはずだ。そうだな。シコー」

何も答えずに微笑んでいる。目元は優しげだが、口は固く閉じたままだ。もはや言葉はいらないと言いたげに。そうかもしれない。すべてはここに記されている。しかしまだ生きるべきだ。あなたのような人間こそ生き抜くべきなのだ。今決断すれば歴史は変えられる。

「ふん。無駄な手間を」

男は振り向きざまにシコーに斬りつけた。

「やめろ」

夢中で男の片腕にしがみつき、引き倒し、手首に噛みついて剣を捨てさせた。まだ間に合う。ひと太刀くらいで死にはしない。

「ほっといてやれ。こいつは死にてぇはずだ」

男が手を伸ばしたのですかさず剣を蹴飛ばし、男の手を逃れて自分で拾った。

「おい、何のつもりだ」

「許さない」

「殺すつもりか。お前みたいな野郎にこの俺を殺せるのか」

シコーは横向きにうずくまり、早くも目を閉じて動かない。

「仇だ。この人のための。それにこの書のための」

「やれるもんならやってみろ」

力いっぱいに振り下ろし、男は倒れた。しかし血は一滴も流れなかった。断ち切ったのは自分の迷いだった。

三

汗をかいていた。朝日で目が覚めたが、また眠ってしまった。もう昼だ。出発しなければならない。

起き上がると、背中がじっとり濡れていた。着替えのシャツはリュックにしまってあるので裸になって部屋を出る。

屋上にはロッキングチェアと雑草が伸びた甕。ぬるい風を受けて揺れている。じかに陽射しを浴びるのは久しぶりだ。熱せられた煉瓦の床もふやけた素足に気持ちいい。

歩くと、足はだるく、膝が少し痛んだ。どこまで行っていたのだろう。何かに力を入れていたのか腕も痺れた感じがする。

際に寄り、町を見渡す。コンクリートと煉瓦の屋根と屋根。衛星アンテナと洗濯物。その向こうで凧《たこ》が揚がっている。一つ、二つ。黄色いビニール製らしいが、風を受けた帆船のように高々と空にとまっている。その向こうを大きな鳥が去っていく。

記憶と幻想が混然とし、まだ現実がつかめない。目に映っているのが現実であることは理解できるが、まだ本当の現実は始まっていない気がする。どれほどの人と会い、どれほどの話をしたのだろう。そこでどのような感情を抱き、何を学び取ってきたのだろうか。いや、焦ることはない。現実は向こうからやって来る。

荷物をまとめて下に降りると、宿の主人に怒られた。

「警察に通報するところだったぞ。姿を消すなら断ってからにしてくれ」

驚いたが、とりあえず詫びておく。

「やっかいごとはたくさんだ」

主人は乱暴に電卓を叩き、料金を提示した。戸惑い、頭の中で計算し直す。おかしい。何度掛け算してもそうならない。それでは二倍だ。

訊けば「これで正しい」という。「迷惑をかけた分の追加料金か」と質せば、「いいから払え」という。たいした金額ではない。これまでならそう思って引き下がるが、納得できないので強く出る。

「だったら警察に行きましょう。倍の料金を請求するのは違法です」

「二人いたのはわかっているんだ」

血の気が引いた。まさか。兄のことを言っているのだろうか。声が聞こえたのかもしれない。

「警察に電話をするから待っていろ」

主人が携帯電話を取り出したので手で押さえ、すぐにその手を放してリュックの口を開いた。

「払います。そういうことならお支払いします」

主人は憮然としたままルピー紙幣を受け取り、引き出しを開けて手提げ金庫に放り込んだ。挨拶もそこそこに狭い階段を下りて通りに出ると、すぐにリキシャーを捕まえ、隠れるように潜り込む。こんなことになるとは思わなかった。初めから嘘をついていたようでばつが悪い。

痩せた背中がペダルを漕ぐ度に左右に揺れるが、人力なのでなかなか進まない。よほど慌てて乗り込んだらしく、並んで歩いている子どもがこちらを見て笑っている。

メイン・バザールを出た所でオートリキシャーに乗り換え、空港に向かう。黒い車体に黄色い屋根の古いタイプだ。エンジンオイルの燃える臭いとともに排ガスが白く広がり、デリーの町を隠していく。

少しずつ風景に慣れてくる。滞在したのはわずか五日。とてもそうは思えなかった。何週間も何カ月もいたような気がする。

流れが悪くなった。信号ではない。前方の車列が障害物を避けるように蛇行している。牛らしい。隣に大型の観光バスが並んだので、オートリキシャーは蛇行できずにブレーキをかける。

牛ではなく、老女だった。襤褸《ぼろ》をまとい、裸足のまま座り込み、周囲に向かって叫んでいた。白髪で額に赤い徴を付け、茶色の肌は土埃でかさかさに乾いて見えた。

運転手は左手を天に上げ、何かつぶやいたが、騒音にかき消された。

タタ自動車とソニーの看板を過ぎ、バンク・オブ・インディアを抜け、ロータリーを回ってさらに走る。遠回りされている気もするが、道がわからないので任せるしかない。

しばらくすると、今度は布を身体に巻き付けた男が手押し車に子どもを乗せてやって来た。またしても裸足だ。男と目が合った。うつろで、疲れ切っているようだった。子どもは顔を伏せ、覗かれるのを嫌がっている。見ていたことを恥じ、慌てて身を小さくする。

ダリット。かつてアンタッチャブルと言われた人々。強くなったつもりでも感情が揺れる。動じないつもりでも動じてしまう。これが現実だった。望まなくても向こうから押し寄せてくる。来る前にネットで見た。同じ井戸を使うのを拒否され、上位カーストに逆らったという理由で殴られ、手づかみで人糞の処理をさせられる。レイプされ、家に火を放たれ、それでいて犯人は裁かれない。ヒンドゥー寺院の祭りでは残飯の上を裸で転がされ、皮膚病に効くと感謝を強いられ、それを告発した人は暴行を受ける。

気まぐれな旅行者がカーストについて考えるのは無謀だろう。しかしダーラー・シコー。あなたはどう考えていたのか。彼方を渇望し、星空を見上げる視線に、どれほど人々の居場所があったのだろうか。それにオーラングゼーブ。冷酷さばかり伝えられるが、子どもへ宛てた遺書には「この世に身体一つで来、罪の果実を背負って去っていく」と人間らしい言葉も残している。とするなら「神の前の平等」を説き、イスラムへの改宗を熱心に勧めたかもしれない。デュペロン。あなたはどうだ。「歴史はそのほとんどが悲劇と惨劇によって埋め尽くされている」とでも説明するだろうか。そうだ。どれも正しい。間違っているはずがない。しかしどれほど言葉を費やそうとも、彼らの苦しみは続き、救いから遠ざけられたまま棄ておかれている。いったい人は何のために考えるのだろう。

空港に着き、金を払って歩き出す。大型バスの駐車場を抜け、荒れた舗装の横断歩道を渡り、カラスの糞を避け、小銃を肩から下げた警備兵を横目に見てさらに歩く。

ロビーだ。来た時と同じように混んでいる。香水の匂いと携帯電話の話し声。スーツケースを押す家族連れ。その隙間を縫うように清掃用の電気自動車が黄色いランプを回して走っている。

急に気持ちが沈み、自分の非力さに震えてくる。

「まだいたのか」

「兄さん？」

「どうした。情けない声を出して」

「もう会えないのかと思っていた」

「そうだ。もう会う必要はない」

たしかに姿は見えない。人が多く、チェックインカウンターには列ができている。

「来てよかったと思っているよ。だけど落ち込むんだ。『智慧の書』をもらっても何にもならないんじゃないかと」

電気清掃車が来たので会話が途切れる。運転しているのは青年だった。黄色いキャップをかぶり、楽しそうだ。モーター音とともに回転ブラシがすぐ近くを通る。邪魔にならないよう身体をずらすと、床から洗剤の匂いがした。

「それほどお前は見聞きしたのか。すべてを見、すべてを聞いて、それで失望するのか」

「無理だよ。わずか五日で」

「日にちの問題じゃない。すべてを経験し、味わった上での結論かということだ」

「そんなこと、誰にもできっこない」

「だったら早すぎるだろう。二度と言うな」

強く言いすぎたと感じたのか、兄は少し黙り込んだ。ビリィを吸うつもりだろうか。ここは禁煙だ。

「とにかくいろいろなことがあるのだ。生きていても死んでからも」

「そう思う。本当にいろいろなことが複雑に絡み合っている」

「しかしそれがすべてでもないぞ。それに『複雑に絡み合っている』という言い方はやめたほうがいい。その行き着く先はあきらめと思考停止だ。むしろ『複数の要素で成り立っている』と言うべきだ。そうすれば問題になっている要素を突き止め、ひとつひとつ解きほぐそうと気持ちが動く。そのために『智慧の書』を預かったはずだろう」

言われて背中のリュックに手を回す。そうだ。そのために預かった。知恵の伝播として。が、感触がなかった。慌ててリュックを開け、中身を取り出す。

「どうした？」

「ないんだ。たしかにあったはずなのに」

「よく探してみろ。ほかの所に入れたんだろう」

「そんなことはない。荷物はこれだけだから」

着替え。タオル。歯ブラシ。床にすべてぶちまけてみるが、やはりない。オートリキシャーだろうか。取り出した記憶はないが、置き忘れてしまったのかもしれない。いや、安宿だ。慌てて出てしまった。

「兄さんにも責任はある」

「なぜだ」

「宿代を二倍払ったんだ」

「それとお前が慌てることに何の関係がある」

兄はそう言って笑い出した。周囲に聞かれるほどの大声だ。

「うろたえるのがそんなにおかしいかい」

「そうじゃない。ほかに行ったんだ。あきらめろ」

「ほかに？」

「必要とする人が現れたってことだ」

「本が勝手に動くもんか」

「あれはただの本じゃない」

はっとした。あの声も言っていた。「今のあなたにはふさわしい。それだけ求めているってことだから」。しかし、ということは、もうふさわしくないということだろうか。まだ求めているというのに。

「さっさと帰って働くことだ。元気で暮らせ」

「兄さんは？」

「俺の居場所はここだ」

「裏切られたんじゃなかったのかい。聖なる国に」

「だからこそ居てやろうと思っている。母さんによろしくな」

「ちょっと待って。もう少し」

「うろたえるな」

「急にいろいろなことが起きるからだ」

「堂々としていろ。前にも言ったぞ」

それきり声は聞こえなくなった。列が少しずつ進み、電気清掃車は遠くでくるくる回っている。床の輝きは大理石のようだ。その上を出発のアナウンスが滑るように流れている。兄は本当に行ってしまったのだろうか。また来てくれる気もするが、二度と来てくれない気もする。チョコレートの宣伝板が付いたカートに小さな子が乗り、押してもらって喜んでいる。兄と弟だ。人にぶつからないように気をつけているが、親に見つかって叱られている。

必要とする人が現れ、ほかに行った。そうかもしれない。自分は迷いを断ち切ったのだ。

だからいつまでも手元にあってはいけないのだ。

　携帯電話が鳴った。

「もしもし？　大丈夫なの。つながらないから心配したわ」

　妻だ。

「大丈夫だよ。今空港だから。予定の便でそっちに帰る」

「まったく着信履歴くらいチェックしてよね。本当に心配したんだから」

「悪かった。いろいろあったんだ。太一は？」

「もういいみたい。久しぶりにお風呂に入ってるわ」

「お土産は何がいい？」

「ダイヤモンド」

「えっ？」

「産地ではなくなったけど、インドの研磨技術はまだ世界一だってネットに出てたわ」

「デザインとかいろいろあるからなあ。高そうだし」

「冗談よ。カレー以外なら何でもいいわ」

「わかった。乗る時にまた電話するよ」

　チェックインを済ませ、搭乗ゲートに向かう前に土産物を見て回る。またしても香水の匂い。宝石は、と気になって探すと、女性客が集まっていた。ショーケースに沿って店員が立ち、商品を取り出して説明をしている。

「プレゼントですか」

日本人の店員だ。答えようとして携帯が鳴った。今度は予算を伝えるつもりだろう。今回の旅行代と同じ金額のものを買ってきてほしいと。

「はいはい。わかってるよ」

「滝川？」

「はっ？」

「休暇中、悪いな」

白鬼だった。

「帰った翌日も休みになってるだろう。その日、出てくれないか。トラブってんだ。新しいとこ。住民が気づきやがって。高層マンションは反対だと」

「ちょっと待ってください。移動します」

売り場を離れて通路側の壁に立つ。よりによって白鬼とは。せっかくの気分が崩れ去る。少しは事情を知っている。法的な手続きはクリアしているが、地元への説明がまだだった。眺望を損ねる。日陰になる。おなじみの反対意見が予想されるので後回しにしていたのだ。自分の担当ではない。しかし向こうが集団で来ると、こちらも人がいる。

「すみません。聞こえますか」

「よく聞こえるよ。お前、本当にインドか。はっはっは」

機嫌がいい。頼みごとをしているからだ。

「了解しました。仕事ですから」

「そうか。朝からじゃなくていいんだ。昼の集会に間に合えば」

「お土産は何がいいですか」

沈黙があった。自分でも驚いた。白鬼に希望を訊く必要はない。職場向けにお菓子でも買っていけばいいのだ。けれども少しくらいはいいかと思った。

「任せるよ。好き嫌いはないからな」

電話を切ると、再び売り場に向かっていた。ショーケースとは別に壁にガラスがはめられ、指輪が飾られていた。その隣にはネックレス。花びらに似せたペンダント部分に銀のダイヤが散らされ、その中ほどに大きな黒ダイヤが埋められている。宝飾品に興味はなかったが、初めて美しいと思った。値段を見た。手が出ない。

店を出て歩き始める。駐機中の機体が現れ、大きな尾翼が間近に見える。給油中らしく、太いホースが伸びている。

待合席は混んでいた。空《す》いている隣のゲートに行き、一番前に腰を下ろす。陽はほとんど沈み、赤黒い光がわずかに雲間に残るだけだ。

目を閉じる。ざわめきが瞼の向こうに遠のき、静かな闇に包まれる。夜。星のない夜。それでも自分に返り、気持ちが和らぐ。

いろいろな要素でできている。自分も世界も。考えてみれば当たり前のことだ。けれども実感するには時間がかかる。そうだ。絡まったのなら解きほぐせばいい。ひとつひとつ丁寧に。涼しく考えられるように。そして生き抜くことだ。たくましい本質として。力強いアートマンとして。

「やっと気がついたのね」

遠い声だ。

「相変わらず間怠っこしいこと」

「来てくれたんですね」

「ずっといたわ。わたしは記憶だから」

「記憶？」

「そうよ。深い海と高い空の」

「目まいがしそうです」

「でもまだまだよ」

「何がです？」

「そんなものではないってこと」

意味がわからない。どういうことだろう。

「もっと息を吸いなさい。もっともっと大きく」

言われたように息を吸う。すぐに苦しくなるが、吸い続ける。

「まだ吸えるわ」

言われてみると、まだ吸えた。いっぱいだと思っても空きがある。

「それがあなたの力よ」

「これが力?」

「そこからあなたが始まる」

そうだ。ここからは自分の力で。

声は消え、いくつかの景色が代わる代わる現れる。川縁の祝祭。草の匂い。ヤムナー川だろうか。楽しそうに飲んだり食べたりする男女の一群。それに太鼓の音と松明の炎と踊り手たち。一人だけ宴から離れて天を仰ぐ男がいる。星を見ている。数え切れないのに数えようとしている。高貴な衣装に身を包み、啓示を得たように立ち尽くしている。何に触れたのだろう。夜だというのに顔が清々しいほど輝いている。

次に現れたのは貧しい部屋だ。陽は当たらず、薄暗い机には羽ペンと分厚い書物。食べかけのパンと汚れたカップ。粗末な燭台には燃え尽きた蠟燭が残っている。椅子も着る物もすべてが古ぼけている。鐘が鳴っている。教会らしい。気高く厳かな響きが部屋の中にも流れてくる。しかし留守だ。部屋の主は外出している。

街の中。店に来ている。座っているので店番をしているらしい。誰に頼まれたのだろう。雑貨とキャンディーのほかに本も並んでいる。何の店なのか。外は明るい。おそらくは雨上がりの晴れた午後。

扉が開き、老人が現れた。杖をついている。癖のある白髪が伸び、無理やり後ろに撫でつけている。何かつぶやいているが、聞き取れない。ドイツ語のようでもフランス語のようでもある。店内を見回している。古びた黒い背広に膝が出たズボン。けれども仕立てはよく、上質なのはすぐわかる。

中ほどの書棚で立ち止まった。何か見つけたらしい。杖に身体を預け、見上げている。背伸びをして上の段から抜き取った。片手で見るには大きな本だ。身体が揺れたが、持ち直し、いったん平積みの本の上に置いて杖も棚に立て掛ける。

懐から眼鏡を取り出して鼻に乗せる。眉間を動かし、掛け具合を調整している。大切な儀式の始まりを見落としてはならないとでもいうように。

両手で本を持ち上げ、表紙を開いた。微かな産声。聞き逃しそうなほどの幕開けの音。押しつけられていた糊が割れ、紙と言葉がようやく息を吹き返す。

目次を眺めている。一行一行頷きながら、愛おしそうに指でなぞっている。だからなかなか進まない。進みたくないのだ。その時間さえ大切に味わっている。次のページに進んでも同じように指で追い、指先でたどり、ひと言ひと言を確かめている。いや、思い出しているのだ。挫折と焦燥と困難を。それが正しかったと知るために。

突然、老人の顔がゆがむ。悔恨の日々が蘇り、肩が震え、胸が張り裂けそうになる。首をうな垂れ、本を持つ手も揺れ、こみ上げてくるものと闘っている。涙ではない。涙ごときで埋め合わされるはずがない。深い屈辱と恥辱と、わずかばかりの栄光が唸りを上げて襲いかかる。

また鐘が聞こえた。今度は軽やかで明るい響きだ。雨に濡れた通りの石畳みに陽の光とともに弾んでいく。

顔を上げて本を閉じた。微笑んでいる。穏やかに満ち足りた幸せな笑顔。にこやかに慈しむように表紙を撫で、裏をさすり、もう一度表に返して勝利を噛みしめている。

本を戻し、杖を取って歩き出した。少し引きずるように一歩一歩。

扉に手を掛けて押し開く。

光が入る。

街の音が聞こえる。

主要参考資料

「ヴェーダ　アヴェスター」　世界古典文学全集3　辻直四郎編　筑摩書房　一九六七年
「バラモン教典　原始仏典」　世界の名著1　長尾雅人責任編集　中公バックス　一九七九年
「王権と貴族の宴」　生活の世界歴史8　金沢誠　河出書房新社　一九七六年
「画家ダヴィッド」　鈴木杜幾子　晶文社　一九九一年
「中世インドの歴史」　サティーシュ・チャンドラ著　小名康之・長島弘訳　山川出版社　一九九九年
「ムガル帝国誌」（一）（二）　ベルニエ著　関美奈子、倉田信子訳　岩波文庫　二〇〇一年
「意志と表象としての世界」ⅠⅡⅢ　ショーペンハウアー著　西尾幹二訳　中公クラシックス　二〇〇四年
「古代インドの神秘思想」　服部正明　講談社学術文庫　二〇〇五年
「学術都市アレクサンドリア」　野町啓　講談社学術文庫　二〇〇九年
「ヴェルサイユ宮殿に暮らす」　ウィリアム・リッチー・ニュートン著　北浦春香訳　白水社　二〇一〇年
Extracts from the Narrative of Anquetil Du Perron's Travels in India, Anquetil-Duperron (Abraham-Hyacinthe), BiblioBazaar, 2010
Majma-ul-Bahrain or The Mingling of The Two Oceans, Prince Muhammad Dara Shikuh, Adam

Publishers and Distributors, 2006
The Mughal Empire, John F. Richards, Cambridge University Press, 1993
Worlds at War, Anthony Pagden, Oxford University Press, 2008

本書は二〇一二年六月に小社より刊行した『不滅の書』を改題・改稿したものです。

中公文庫

イモータル

2014年11月25日　初版発行
2016年12月15日　８刷発行

著　者　萩《はぎ》　耿《こう》　介《すけ》

発行者　大橋善光

発行所　中央公論新社
〒100-8152　東京都千代田区大手町1-7-1
電話　販売 03-5299-1730　編集 03-5299-1890
URL http://www.chuko.co.jp/

ＤＴＰ　嵐下英治
印　刷　三晃印刷
製　本　小泉製本

Published by CHUOKORON-SHINSHA, INC.
Printed in Japan　ISBN978-4-12-206039-5 C1193

中公文庫既刊より

各書目の下段の数字はISBNコードです。978－4－12が省略してあります。

は-66-1
炎の帝
萩耿介
魂の救済を求め、自らの身に火を放つ――炎帝と呼ばれた異形の帝・花山。陰謀渦巻く平安京に燃え立つ、激動の生を描いた長篇。『炎帝 花山』を改題。
205948-1

マ-10-3
世界史（上）
W・H・マクニール
増田義郎
佐々木昭夫 訳
世界の各地域を平等な目で眺め、相関関係を分析しながら歴史の歩みを独自の史観で描き出した、定評ある世界史。ユーラシアの文明誕生から紀元一五〇〇年までを彩る四大文明と周縁部。
204966-6

マ-10-4
世界史（下）
W・H・マクニール
増田義郎
佐々木昭夫 訳
俯瞰的な視座から世界の文明の流れをコンパクトにまとめ、歴史のダイナミズムを描き出した名著。西欧文明の興隆と変貌から、地球規模でのコスモポリタニズムまで。
204967-3

マ-10-5
戦争の世界史（上）技術と軍隊と社会
W・H・マクニール
高橋均 訳
軍事技術は人間社会にどのような影響を及ぼしてきたのか。大家が長年あたためてきた野心作。上巻は古代文明から仏革命と英産業革命が及ぼした影響まで。
205897-2

マ-10-6
戦争の世界史（下）技術と軍隊と社会
W・H・マクニール
高橋均 訳
軍事技術の発展はやがて制御しきれない破壊力を生み、人類は怯えながら軍備を競う。下巻は戦争の産業化から冷戦時代、現代の難局と未来を予測する結論まで。
205898-9

ミ-1-3
フランス革命史（上）
J・ミシュレ
桑原武夫／多田道太郎／樋口謹一 訳
近代なるものの源泉となった歴史的一大変革と流血を生き抜いた「人民」を主人公とするフランス革命史の決定版。上巻は一七九二年、ヴァルミの勝利まで。
204788-4

ミ-1-4
フランス革命史（下）
J・ミシュレ
桑原武夫／多田道太郎／樋口謹一 訳
下巻は一七九二年、国民公会の招集、王政廃止、共和国宣言から一七九四年のロベスピエール派の全員死刑までの激動の経緯を描く。〈解説〉小倉孝誠
204789-1